El libro de la Selva

El libro de la Selva

RUDYARD KIPLING

TRADUCCIÓN Y NOTAS DE GABRIELA BUSTELO
ILUSTRACIONES DE GABRIEL PACHECO

sextopiso

Título original
The Jungle Book

Copyright © by The National Trust for Places of Historic Interest
or Natural Beauty

Primera edición: 2013

Ilustraciones
© Gabriel Pacheco

Traducción y notas
© Gabriela Bustelo

Copyright © Editorial Sexto Piso, S.A. de C.V., 2013
París 35-A
Colonia del Carmen, Coyoacán
04100, México D. F., México

Sexto Piso España, S. L.
Camp d'en Vidal 16, local izq.
08021, Barcelona, España

www.sextopiso.com

Diseño
Estudio Joaquín Gallego

Formación
RMU

ISBN: 978-84-15601-18-0
Depósito legal: M-991-2013

Impreso en España

Este libro ha recibido una ayuda a la edición del Ministerio de Educación,
Cultura y Deporte.

Índice

PREFACIO

Las exigencias que una labor de esta naturaleza impone sobre la generosidad de los especialistas son muy numerosas y el editor desmerecería de todo punto la amabilidad con que lo han tratado si no estuviera dispuesto a hacer el mayor reconocimiento posible de su gratitud.

En primer lugar debe expresar su agradecimiento al erudito y distinguido Bahadur Shah, elefante de carga que lleva el número 174 del registro indio, el cual, junto con su amable hermana Pudmini, proporcionó tan galantemente la historia de «Toomai el de los elefantes» y gran parte de los datos que contiene «Los servidores de su Majestad». Las aventuras de Mowgli han sido recogidas en momentos y lugares diversos, a través de una multitud de informadores, la mayoría de los cuales desean conservar el más estricto anonimato. Aun así, y desde la gran distancia que nos separa, el editor se toma la libertad de dar las gracias a un caballero indio de los de la vieja escuela, estimado habitante de las más altas colinas de Jakko, por su apreciación convincente, aunque algo cáustica, de las características nacionales de su casta: los présbitas.°

° El inglés ha tomado esta palabra del francés *(presbyte)* y su origen es griego *(presbys,* «viejo»). Un présbita padece hipermetropía o presbicia, defecto consistente en ver los objetos borrosos de cerca; el autor probablemente se refiere al significado etimológico, puesto que el personaje en cuestión aparece retratado en su vejez. [Ésta y el resto de notas son de la traductora].

Sahi, sabio enormemente habilidoso y capaz, miembro de la recién disuelta Manada de Seeonee, y un artista conocido en la mayoría de las ferias locales del sur de la India, donde el baile embozalado que realiza junto a su amo atrae a la juventud, belleza y sabiduría de muchas aldeas, ha proporcionado información valiosísima sobre gentes, modales y costumbres. Ésta se ha utilizado abundantemente en las historias de «¡Tigre! ¡Tigre!», «La caza de Kaa» y «Los hermanos de Mowgli».

En cuanto a la trama de «Rikki-tikki-tavi», el editor quiere expresar su agradecimiento a uno de los principales herpetólogos° del norte de la India, investigador audaz e independiente que, fiel a su decisión de dedicarse «no a vivir, sino a saber», acabó sacrificando su vida debido a una entrega excesiva al estudio de nuestra «tanatofilia»°° oriental. Un afortunado accidente permitió al editor, pasajero a bordo del *Emperatriz de la India,* serle de alguna ayuda a uno de sus compañeros de viaje. Los lectores de «La foca blanca» podrán juzgar por sí mismos cuán generosamente fue recompensado por su pobre servicio.

°   El que, por profesión o estudio, se dedica a la parte de la zoología (herpetología viene del griego *herpetos,* «reptante») que estudia los reptiles.

°°   Esta palabra no aparece en el Diccionario de la R.A.E. ni en el María Moliner. Pero, según su etimología, vendría a significar «apego a la muerte».

LOS HERMANOS DE MOWGLI

El murciélago Mang se acuesta pronto
y la noche la trae Chil, el milano.
Nosotros rondaremos hasta el alba,
por eso se guarecen los rebaños.

Garras, uñas, colmillos: Adelante.
Es la hora del salto y de la presa.
¡Escuchad la llamada y cazad bien,
observando las leyes de la Selva!

Eran las siete de una tarde muy calurosa en las colinas de Seeonee cuando Padre Lobo despertó de su descanso diurno, se rascó, bostezó, y estiró las patas, una tras otra, para quitarse la sensación de sueño que notaba en las puntas. Madre Loba estaba tumbada, tapando con el gran hocico gris a sus cuatro lobeznos inquietos y chillones, y la luna entraba por la boca de la cueva en que vivían.

—¡Augr!° —dijo Padre Lobo—. Ya es hora de ir de caza.

E iba a lanzarse cuesta abajo cuando una sombra pequeña, con una cola peluda, cruzó el umbral y aulló:

—La buena suerte os acompañe, Jefe de los Lobos, así como a vuestros nobles hijos.°° Les deseo unos dientes blancos y fuertes, y que no olviden nunca a los hambrientos de este mundo.

Era el chacal (Tabaqui, el Lameplatos), y los lobos de la India detestan a Tabaqui, porque siempre va por todas partes

°   Las exclamaciones que pone el autor en boca de los animales suelen ser palabras onomatopéyicas inventadas por él. En algunos casos, por considerarlo necesario, se han adaptado fonéticamente al castellano.

°°   En las narraciones referidas a Mowgli, y en algunas otras, Kipling utiliza un sistema pronominal arcaico *(thou, thee, thy, thyne, thyself)* que hoy en día solo aparece en usos poéticos o religiosos y en algunos dialectos británicos. Para reflejar ese matiz respetuoso que añade al tratamiento que se dan los animales, lo más adecuado es el uso del pronombre «vos» con su correspondiente concordancia verbal.

sembrando cizaña, contando chismes, comiendo trapos y trozos de cuero que encuentra en los montones de basura de las aldeas. Pero también le temen porque Tabaqui, más que nadie en la Selva, suele tener ataques de locura, y entonces olvida que alguna vez tuvo miedo y corre entre los árboles mordiendo todo lo que se le cruza en el camino. Incluso el tigre huye y se esconde cuando al pequeño Tabaqui le da un ataque, pues la locura es lo más deshonroso que le puede ocurrir a un animal salvaje. Nosotros lo llamamos hidrofobia, pero ellos lo llaman *dewanee* (la locura) y huyen al decirlo.

—Entrad, pues, y mirad —dijo Padre Lobo ásperamente—, pero aquí no hay comida.

—Para un lobo, no —dijo Tabaqui—, pero para alguien tan despreciable como yo, un hueso seco es un banquete. ¿Quiénes somos los *gidur-log* (el Pueblo de los Chacales) para andar con melindres?

Se adentró rápidamente hacia el fondo de la cueva, donde encontró un hueso de gamo con algo de carne y se sentó alegremente, dispuesto a partirlo.

—Os estoy muy agradecida por esta buena comida —dijo relamiéndose—. ¡Qué hermosos los nobles hijos! ¡Qué ojos tan grandes! ¡Tan jóvenes, además! Por supuesto, por supuesto… debería haberme acordado de que los hijos de reyes son hombres desde el primer momento.

Es evidente que Tabaqui sabía, tan bien como cualquiera, que nada hay tan funesto como alabar a los hijos estando ellos delante; y le alegró ver que Madre Loba y Padre Lobo se ponían nerviosos.

Tabaqui permaneció unos instantes en silencio, disfrutando del daño que había hecho; después dijo maliciosamente:

—Shere Khan, el Grande, se ha mudado de territorio. Durante la siguiente luna cazará en estas colinas, según me ha dicho.

Shere Khan era el tigre que vivía cerca del río Waingunga, a treinta kilómetros de distancia.

—¡No tiene ningún derecho! —saltó Padre Lobo enfurecido—. Según la Ley de la Selva, no tiene derecho a cambiar de territorio sin avisar a tiempo. Va a asustar a todas las piezas de caza en dieciséis kilómetros a la redonda y yo... yo voy a tener que estar matando por dos durante una temporada.

—Su madre no le llamaba Lungri (el Cojo) sin razón —dijo Madre Loba con gran tranquilidad—. Ha estado cojo de un pie desde que nació. Por eso mata solamente ganado. Ahora que los aldeanos del Waingunga están furiosos con él, tiene que venir aquí a enfurecer a los nuestros. Rastrearán la Selva de arriba abajo cuando él ya esté lejos y tendremos que salir corriendo con nuestros hijos cuando enciendan la hierba. ¡Se comprende que estemos muy agradecidos a Shere Khan!

—¿Deseáis que le hable de vuestra gratitud? —dijo Tabaqui.

—¡Fuera! —ladró Padre Lobo—. Fuera y a cazar con vuestro amo. Ya habéis hecho bastante daño por esta noche.

—Me voy —dijo Tabaqui tranquilamente—. Ya se oye a Shere Khan entre los matorrales. Me podía haber ahorrado la noticia.

Padre Lobo se puso a escuchar, y en el valle que descendía hasta un riachuelo oyó el gemido seco, enfurecido, impaciente y monótono de un tigre que no ha atrapado nada y al que no le importa que se entere toda la Selva.

—¡El muy imbécil! —dijo Padre Lobo—. ¡Empezar la labor de una noche haciendo ese ruido! ¿Se creerá que nuestros gamos son como sus bueyes gordos del Waingunga?

—¡Chss! No son gamos ni bueyes lo que caza esta noche —dijo Madre Loba—. Busca al Hombre.

El gemido se había convertido en una especie de ronroneo zumbón que parecía llegar de todas partes. Es el ruido que aturde a los leñadores y gitanos que duermen al aire libre, y que a veces les hace salir corriendo a meterse justo en la boca del tigre.

—¡El Hombre! —dijo Padre Lobo enseñando todos sus dientes blancos—. ¡Puaj! ¿Es que no hay suficientes ranas y escarabajos en las charcas como para que tenga que comerse al Hombre, y en nuestras tierras además?

La Ley de la Selva, que nunca impone nada sin tener un motivo, prohíbe a las fieras que atrapen al Hombre, excepto cuando estén matando para enseñar a sus hijos, y entonces deben hacerlo fuera de los límites de caza de su manada o tribu. La verdadera razón de esto es que matar al Hombre significa, tarde o temprano, la llegada de hombres blancos con armas, montados encima de elefantes, y de centenares de hombres marrones con gongs, cohetes y antorchas. Todos los habitantes de la Selva sufren entonces. La razón que las fieras se dan unas a otras es que el Hombre es el más débil e indefenso de todas las criaturas vivientes, y tocarlo no es digno de un buen cazador.

También dicen, y es cierto, que los devoradores de hombres se vuelven sarnosos y pierden los dientes.

El ronroneo se fue haciendo más fuerte y terminó en el «¡Aaar!» a pleno pulmón que lanza el tigre al atacar.

Entonces se oyó a Shere Khan dar un aullido impropio de un tigre.

—Ha fallado el golpe —dijo Madre Loba—. ¿Qué será?

Padre Lobo corrió unos pasos hacia fuera, oyendo a Shere Khan murmurar y refunfuñar ferozmente mientras daba saltos en la maleza.

—Al muy imbécil no se le ha ocurrido nada mejor que saltar al fuego de unos leñadores, y se ha quemado las patas —dijo Padre Lobo soltando un gruñido—. Tabaqui está con él.

—Algo sube por la cuesta —dijo Madre Loba, levantando una oreja—. Preparaos.

Se oyó un crujido de arbustos en la maleza y Padre Lobo se echó al suelo, con las ancas debajo del cuerpo, listo para atacar. En ese momento, si hubierais estado delante, habríais visto la cosa más asombrosa del mundo: un lobo deteniéndose en pleno salto. Se había lanzado antes de ver lo que estaba atacando, y entonces había intentado detenerse. El resultado fue que salió disparado hacia arriba, en línea recta, recorriendo una distancia de un metro y medio, más o menos, y volvió a caer casi en el mismo sitio.

—¡Un hombre! —dijo bruscamente—. Un cachorro de un hombre. ¡Mirad!

Justo delante de él, agarrándose a una rama baja, había un niño desnudo, de piel morena, que casi no sabía andar; la cosa más diminuta, suave y rechoncha que jamás había entrado en la cueva de un lobo por la noche. Levantó la vista para mirar a Padre Lobo y soltó una carcajada.

—¿Eso es un cachorro de hombre? —dijo Madre Loba—. Es el primero que veo. Traedlo.

Un lobo que esté acostumbrado a llevar a sus cachorros de un lado a otro puede, si es necesario, llevar un huevo en la boca sin romperlo, y aunque las quijadas de Padre Lobo se cerraron sobre la espalda del niño, ninguno de los dientes le arañó la piel al depositarlo entre los lobeznos.

—¡Qué pequeño! Qué desnudo y... ¡qué atrevido! —dijo Madre Loba suavemente. El niño se estaba haciendo sitio entre los cachorros para acercarse al calor de la piel.

—¡Ajai! Ahora está comiendo, igual que los otros. Así que esto es un cachorro de hombre. Pues a ver si ha habido alguna vez una loba que pudiera alardear de tener un cachorro de hombre entre sus hijos.

—Alguna vez he oído historias parecidas, pero no en nuestra manada ni en estos tiempos —dijo Padre Lobo—. No tiene absolutamente nada de pelo y podría matarlo de un zarpazo. Sin embargo, fijaos, nos mira sin miedo.

La luz de la luna dejó de entrar por la boca de la cueva, ya que la gran cabeza cuadrada y los hombros de Shere Khan se precipitaron hacia dentro. Tabaqui, detrás de él, chillaba:

—¡Señor, señor, ha entrado aquí!

—Shere Khan, es un gran honor para nosotros —dijo Padre Lobo, pero sus ojos estaban enfurecidos—. ¿Qué desea Shere Khan?

—Mi presa. Un cachorro de hombre ha venido hacia aquí —dijo Shere Khan—. Sus padres han huido. Dádmelo.

Shere Khan se había lanzado sobre el fuego de unos leñadores, como había dicho Padre Lobo, y estaba furioso por el dolor de sus patas quemadas. Pero Padre Lobo sabía que la boca de la cueva era demasiado estrecha para que entrara un tigre. Incluso donde estaba, Shere Khan tenía los hombros y las patas delanteras apretados por falta de espacio, como estaría un hombre si tuviera que luchar dentro de un barril.

—Los lobos son un pueblo libre —dijo Padre Lobo—. Reciben órdenes del jefe de la Manada y no de cualquier matarreses a rayas. El cachorro de hombre es nuestro, para matarlo si queremos.

—¡Si queremos y si no queremos! ¿A qué cuento viene eso de si queréis o no? Por el Toro que maté, ¿es que tengo que meter las narices en vuestra perrera para conseguir lo que es mío en justicia? ¡Soy yo, Shere Khan, quien habla!

El rugido del tigre llenó la cueva de un ruido atronador. Madre Loba se separó de los cachorros sacudiéndose y se lanzó hacia delante, haciendo frente a los ojos chispeantes de Shere Khan con los suyos, que eran como dos lunas verdes en la oscuridad.

—Y soy yo, Raksha (el Diablo), quien contesta. El cachorro de hombre es mío, Lungri..., mío y muy mío. No morirá. Vivirá para correr con la Manada y cazar con ella; y al final, mirad, cazador de pequeños cachorros desnudos..., devorador de ranas..., matador de peces..., él os cazará a vos. ¡Y ahora, fuera de aquí, o por el *sambhur** que maté (yo no como ganado muerto de hambre), aseguro que os hallaréis de nuevo con vuestra madre, fiera abrasada de la Selva, aún más cojo que cuando llegasteis al mundo! ¡Marchaos!

Padre Lobo la contemplaba asombrado. Ya casi había olvidado aquellos días en que ganó a Madre Loba en una lucha abierta contra otros cinco lobos, cuando ella corría con la Manada y no la llamaban el Diablo por hacerle un cumplido. Shere Khan podía haberse atrevido a luchar con Padre Lobo, pero no se enfrentaría a Madre Loba porque sabía que, en el lugar en el que estaban, ella tenía una situación ventajosa y lucharía a muerte. Así que se separó de la boca de la cueva, marcha atrás, gruñendo, y cuando se encontró a cierta distancia, gritó:

—¡Cada perro ladra en su cubil! Ya veremos lo que opina la Manada sobre esto de adoptar cachorros de hombre. El cachorro es mío y al final irá a parar entre mis dientes, ¡ladrones de cola peluda!

Madre Loba se dejó caer, jadeante, entre los cachorros, y Padre Lobo le dijo con tono serio:

—Al menos en esto, Shere Khan dice la verdad. Hay que enseñar el cachorro a la Manada. ¿Aún deseáis quedaros con él, Madre?

—¡Quedarme con él! —La loba tragó aire—. Ha venido desnudo, de noche, solo y muy hambriento; pero, ¡no tenía

---

*   También escrito *sambar* o *sambur*; palabra procedente del hindú *sambar*. Es un ciervo asiático *(Cervus unicolor)* de gran tamaño, con fuertes astas de tres puntas y pelo largo y áspero en el cuello.

miedo! Mirad, ya ha echado a un lado a uno de mis hijos. ¡Y ese carnicero cojo lo hubiera matado y se hubiera escapado al Waingunga mientras los aldeanos de aquí rastreaban todas nuestras cuevas para vengarse! ¿Quedarme con él? Por supuesto que voy a quedarme con él. Tranquilo, Ranita. Mowgli (pues os llamaré Mowgli, la Rana), llegará el día en que vayáis tras Shere Khan, como él lo ha hecho con vos.

—Pero ¿qué dirá nuestra Manada? —dijo Padre Lobo.

La Ley de la Selva establece muy claramente que cualquier lobo, al casarse, puede retirarse de la Manada a la que pertenece; pero en cuanto sus cachorros tengan edad suficiente para tenerse en pie, debe llevarlos ante el Consejo de la Manada, que normalmente se celebra una vez al mes, en luna llena, para que el resto de los lobos pueda identificarlos. Después de esa inspección, los lobos son libres de correr por donde les plazca, y hasta que no hayan matado su primer gamo no se acepta ninguna excusa si un lobo adulto de la Manada mata a alguno de ellos. El castigo es la muerte en cuanto se encuentre al asesino; y si pensáis sobre esto durante un momento, os daréis cuenta de que así es como debe ser.

Padre Lobo esperó a que sus cachorros pudieran correr un poco y el día de la Reunión de la Manada los llevó, con Mowgli y Madre Loba, a la Roca del Consejo, una cima de colina, cubierta de piedras y rocas, en la que podían ocultarse un centenar de lobos. Akela, el Lobo Solitario, enorme y gris, que guiaba a toda la Manada a base de fuerza y astucia, estaba tumbado todo lo largo que era sobre su roca, y por debajo de él se sentaban cuarenta lobos o más, de todos los tamaños y colores, desde veteranos de color tejón que podían manejar a un gamo a solas, hasta los jóvenes de color negro y tres años de edad, que creían poder hacerlo. Hacía un año que el Lobo Solitario era jefe. En su juventud había caído dos veces en una trampa para lobos, y

una vez lo habían apaleado y dado por muerto; de modo que conocía el comportamiento y las costumbres de los hombres. Se hablaba muy poco en la Roca. Los cachorros trepaban unos por encima de otros en el centro del círculo que formaban sus madres y padres, y de vez en cuando un lobo adulto se acercaba silenciosamente a un cachorro, lo estudiaba con cuidado, y volvía a su sitio sin hacer ruido. A veces una madre empujaba a su lobezno hacia la luz de la luna, para que no pasara inadvertido. Entonces Akela, desde su roca, gritaba:

—Conocéis la Ley, conocéis la Ley. ¡Mirad bien, Lobos! —Y las madres inquietas lo repetían—. ¡Mirad! ¡Mirad bien, Lobos!

Al fin, y a Madre Loba se le erizaron los pelos de la nuca al llegar el momento, Padre Lobo empujó a Mowgli, la Rana, como ellos lo llamaban, hacia el centro, donde se quedó sentado, riendo y jugando con unos guijarros que brillaban a la luz de la luna.

Akela no levantó la cabeza de entre las patas en ningún momento, pero siguió con su grito monótono: «¡Mirad bien!». Por detrás de las rocas se oyó un rugido sordo, la voz de Shere Khan, que gritaba:

—El cachorro es mío. Dádmelo. ¿Qué tiene que ver el Pueblo Libre con un cachorro de hombre?

Akela no movió ni las orejas, lo único que dijo fue:

—¡Mirad bien, Lobos! ¿Qué tiene que ver el Pueblo Libre con las órdenes de nadie, salvo con las del Pueblo Libre? ¡Mirad bien!

Se formó un coro de gruñidos feroces, y un lobo joven, de cuatro años, volvió a lanzar a Akela la pregunta de Shere Khan:

—¿Qué tiene que ver el Pueblo Libre con un cachorro de hombre?

Ahora bien, la Ley de la Selva establece que, si surge alguna disputa sobre el derecho de un cachorro a ser admitido en la

Manada, deben hablar en su favor al menos dos miembros de ésta, que no sean su padre y su madre.

—¿Quién habla en favor de este cachorro? —dijo Akela—. ¿Quién, que sea del Pueblo Libre, habla?

No hubo respuesta, y Madre Loba se preparó para lo que sabía que sería su última lucha, si se llegaba a esos extremos.

En ese momento, el único otro animal al que se le permite participar en los Consejos de la Manada, Baloo, el oso marrón y soñoliento que enseña a los cachorros de lobo la Ley de la Selva, el viejo Baloo, que puede ir y venir por donde le plazca, porque solo come nueces, raíces y miel, se levantó sobre sus patas traseras y soltó un gruñido.

—El cachorro de hombre... ¿el cachorro de hombre? —dijo—. Yo hablo en su favor. No hay nada malo en un cachorro de hombre. No tengo el don de la palabra, pero digo la verdad. Dejadle que corra con la Manada, que sea aceptado con el resto. Yo mismo le enseñaré.

—Todavía necesitamos otro —dijo Akela—. Baloo ha hablado y es el profesor de los cachorros jóvenes. ¿Quién habla además de él?

Una sombra negra se deslizó dentro del círculo. Era Bagheera, la pantera negra, completamente negra como la tinta, pero con las marcas típicas de las panteras, que se le veían según le daba la luz, como el tejido de una seda lustrosa. Todos conocían a Bagheera, y nadie quería cruzarse en su camino, pues era tan astuta como Tabaqui, tan atrevida como el búfalo salvaje y tan precipitada como el elefante herido. Pero tenía la voz tan dulce como la miel silvestre que gotea de un árbol, y la piel más suave que el plumón.

—Akela, y vosotros, Pueblo Libre —dijo con voz ronroneante—, no tengo derecho a asistir a vuestra asamblea; pero la Ley de la Selva dice que, si surge alguna duda no referente a una muerte, en cuanto a un cachorro nuevo, se puede comprar la vida del cachorro por un precio concreto. Y la Ley no dice quién puede, o quién no puede, pagar ese precio. ¿Tengo razón?

—¡Bien! ¡Bien! —dijeron los lobos jóvenes, que siempre tienen hambre—. Escuchad a Bagheera. El cachorro se puede comprar por un precio. Es la Ley.

—Puesto que sé que no tengo derecho a hablar aquí, os pido permiso.

—Hablad, pues —gritaron veinte voces.

—Matar a un cachorro desnudo es una vergüenza. Además, resultará mejor presa cuando sea mayor. Baloo ya ha hablado en su favor. Ahora, a las palabras de Baloo yo añado un toro bien gordo, recién matado a menos de un kilómetro de aquí, si aceptáis el cachorro de hombre, según la ley. ¿Hay alguna objeción?

Se formó un clamor de docenas de voces que decían:

—¿Qué importa? Morirá con las lluvias del invierno. Se abrasará al sol. ¿Qué daño nos puede hacer una rana desnuda? Dejadle correr con la Manada. ¿Dónde está el toro, Bagheera? Aceptémoslo.

Y entonces se oyó el aullido profundo de Akela, que pedía:

—Mirad bien, ¡mirad bien, Lobos!

Mowgli seguía sumamente interesado en los guijarros y no se dio cuenta de que los lobos se fueron acercando de uno en uno, para observarlo. Al final se marcharon todos cuesta abajo, en busca del toro, y solo quedaron Akela, Bagheera, Baloo, y los lobos de Mowgli. Shere Khan seguía rugiendo en la oscuridad, pues estaba muy furioso porque no le habían entregado a Mowgli.

—Sí, rugid bien —dijo Bagheera por debajo de sus bigotes—, porque llegará un día en que esta cosa desnuda os hará rugir a otro son, o yo sé muy poco sobre el Hombre.

—Hemos hecho bien —dijo Akela—. Los hombres y sus cachorros son muy listos. Con el tiempo, nos puede ser útil.

—Cierto, útil en tiempos de necesidad, ya que no se puede esperar ser jefe de la Manada para siempre —dijo Bagheera.

Akela no contestó. Estaba pensando en el momento, que llega para todos los jefes de manada, en que les abandonan las fuerzas y se hacen más y más débiles, hasta que los lobos los matan y aparece un jefe nuevo, que también morirá cuando le toque el turno.

—Lleváoslo —dijo a Padre Lobo—, y adiestradlo para que sea un miembro digno del Pueblo Libre.

Y así fue como Mowgli fue aceptado en la Manada de los Lobos de Seeonee, por el precio de un toro y defendido por Baloo.

Ahora, tendréis que conformaros con un salto de diez u once años y simplemente imaginar la vida tan maravillosa que tuvo Mowgli entre los lobos, porque si estuviera escrita, llenaría libros y libros. Creció con los lobeznos, aunque éstos se hicieron adultos mientras él seguía siendo un niño, y Padre Lobo le enseñó sus obligaciones y el significado que tienen las cosas en la Selva; hasta que cada roce entre las hierbas, cada bocanada del aire cálido de la noche, cada nota que soltaban los búhos sobre su cabeza, cada arañazo de las garras de un murciélago al descansar un rato en un árbol, y cada chapoteo de un pececillo dando saltos en el remanso de un río, tenían para él la misma importancia que el trabajo en la oficina tiene para un hombre de negocios. Cuando no estaba aprendiendo, se sentaba al sol y dormía, y comía y volvía a dormir; cuando se sentía sucio o tenía calor, nadaba en las lagunas del bosque; y cuando quería miel (Baloo le había dicho que la miel y las nueces estaban tan buenas como la carne cruda) trepaba para cogerla, y fue

Bagheera quien le enseñó a hacerlo. Ésta se tumbaba en una rama y decía: «Venid aquí, Hermanito», y al principio Mowgli se agarraba con la torpeza del perezoso, pero acabó lanzándose entre las ramas con la misma valentía que el mono gris. También ocupó su puesto en el Consejo de la Roca cuando se reunía la Manada, y allí descubrió que, si miraba fijamente a cualquier lobo, éste acababa bajando la vista, y le divertía mucho hacerlo. Otras veces sacaba largas espinas de las plantas de las patas de sus amigos, pues los lobos sufren terriblemente con las espinas y cadillos que se les clavan en la piel. De noche, bajaba la cuesta hasta las tierras de cultivo, y miraba con mucha curiosidad a los aldeanos en sus chozas, pero desconfiaba de los hombres, porque Bagheera le había enseñado una caja cuadrada con una puerta que se cerraba de golpe, oculta en la Selva de forma tan astuta que él estuvo a punto de caer en ella, y le había dicho que era una trampa. Lo que más le gustaba era ir con Bagheera al calor y la oscuridad del corazón de la Selva, dormir durante toda la modorra del día, y ver cómo cazaba Bagheera por la noche. Mataba a diestro y siniestro cuando tenía hambre, y Mowgli también, con una excepción. En cuanto tuvo edad suficiente para entender las cosas, Bagheera le dijo que jamás pusiera la mano encima a una cabeza de ganado, pues había logrado ser admitido en la Manada por el precio de la vida de un toro.

—Toda la Selva es vuestra —dijo Bagheera—, y podéis matar todo lo que vuestras fuerzas os permitan; pero por respeto al Toro que os compró, no debéis matar ni comer ganado, sea joven o viejo. Así es la Ley de la Selva.

Mowgli obedeció fielmente.

Y creció; y creció fuerte, como debe crecer el niño que no sabe que está aprendiendo lecciones, que no tiene nada en qué pensar, excepto en lo que va a comer.

Madre Loba le dijo una o dos veces que Shere Khan no era un animal del que uno pudiera fiarse, y que algún día él tendría que matarlo; pero aunque un lobo joven hubiera tenido presente este consejo a todas horas, Mowgli lo olvidó porque no era más que un niño, a pesar de que él se hubiera llamado a sí mismo «lobo», de haber sabido hablar alguna de las lenguas de los hombres.

Shere Khan siempre se cruzaba en su camino en la Selva, ya que, aprovechando que Akela se hacía mayor y más débil, el tigre cojo era ahora muy amigo de los lobos jóvenes de la Manada, que lo seguían para recoger sus sobras, cosa que Akela nunca hubiera permitido si se hubiera atrevido a ejercer su autoridad como le correspondía. En aquellas ocasiones, Shere Khan los adulaba, preguntándoles después cómo era posible que unos cazadores tan jóvenes y magníficos pudieran estar bajo el mando de un lobo moribundo y un cachorro de hombre.

—He oído —decía Shere Khan—, que en el Consejo no os atrevéis a mirarlo a los ojos.

Y los lobos soltaban gruñidos, el pelo erizado.

Bagheera, a quien no se le escapaba ni una, había oído algo de esto, y le dijo una o dos veces a Mowgli, sin rodeos, que Shere Khan lo mataría un día; Mowgli soltaba una carcajada y contestaba:

—Tengo la Manada y os tengo a vos; y Baloo, aunque sea tan vago, puede que suelte un golpe o dos para defenderme. ¿Por qué habría de tener miedo?

Un día en que hacía mucho calor, a Bagheera se le ocurrió una cosa en la que no había pensado antes, a raíz de algo que había oído. Quizá se lo había contado Ikki, el puercoespín; pero el caso es que le dijo a Mowgli, estando los dos en lo más profundo de la Selva, mientras el niño estaba tumbado con la cabeza apoyada en la hermosa piel negra de Bagheera:

—Hermanito, ¿cuántas veces os he dicho que Shere Khan es vuestro enemigo?

—Tantas como frutos tiene esa palmera —dijo Mowgli que, naturalmente, no sabía contar—. ¡Y qué! Tengo sueño, Bagheera, y a Shere Khan lo único que le pasa es que tiene la cola muy larga y habla mucho... Como Mao, el pavo real.

—Pero éste no es momento para dormir. Baloo lo sabe, yo lo sé, la Manada lo sabe y hasta los bobos de los ciervos lo saben. Tabaqui también os lo ha dicho.

—¡Ja, ja! —dijo Mowgli—. Hace poco, Tabaqui me vino contando no sé qué groserías sobre si soy un cachorro de hombre desnudo que no sabe ni desenterrar nueces; pero lo agarré por la cola y le di dos veces contra una palmera, para que aprenda a tener mejores modales.

—Hicisteis una tontería, porque, aunque Tabaqui es un liante, os hubiera dicho algo que os interesa mucho. Abrid esos ojos, Hermanito. Shere Khan no se atreve a mataros en la Selva; pero tened presente que Akela es muy viejo, y pronto llegará el día en que no pueda matar sus propios gamos, y entonces dejará de ser el jefe. Muchos de los lobos que os dieron el visto bueno al ser llevado al Consejo por primera vez también son viejos, y los lobos jóvenes están convencidos, pues así se lo ha enseñado Shere Khan, de que la Manada no es sitio para un cachorro de hombre. Dentro de poco seréis un hombre.

—¿Y qué es un hombre, si no puede correr con sus hermanos? —dijo Mowgli—. Yo nací en la Selva. He obedecido la Ley de la Selva, y no hay ni uno de nuestros lobos al que no haya quitado una espina de las patas. ¿Cómo no van a ser mis hermanos?

Bagheera se estiró todo lo larga que era, con los ojos medio cerrados.

—Hermanito —dijo—, tocadme bajo la mandíbula.

Mowgli levantó la mano fuerte y marrón, y justo debajo de la barbilla sedosa de Bagheera, donde los enormes músculos rodantes quedaban ocultos por el pelo lustroso, encontró una pequeña calva.

—Nadie en toda la Selva sabe que yo, Bagheera, tengo esa marca..., la marca del collar; y sin embargo, Hermanito, yo nací entre hombres, y entre hombres murió mi madre, en las jaulas del Palacio Real de Oodeypore. Por esta razón pagué un precio por vos en el Consejo, cuando erais un cachorro pequeño y desnudo. Sí, yo también nací entre hombres. Nunca había visto la Selva. Me alimentaban entre rejas, en un cuenco de hierro, hasta que una noche me di cuenta de que yo era Bagheera, la Pantera, y no un juguete de los hombres, y rompí esa cerradura ridícula de un zarpazo y me escapé; y puesto que conocía las costumbres de los hombres, en la Selva me hice más temible que Shere Khan. ¿No es así?

—Sí—dijo Mowgli—, toda la Selva teme a Shere Khan... Todos menos Mowgli.

—Bueno, pero vos sois un cachorro de hombre —dijo la Pantera Negra con mucha ternura—; e igual que yo he vuelto a mi Selva, vos debéis acabar regresando a los hombres..., los hombres, que son vuestros hermanos; si no os matan en el Consejo.

—Pero ¿por qué? ¿Por qué va a querer alguien matarme? —dijo Mowgli.

—Miradme —dijo Bagheera.

Y Mowgli la miró a los ojos fijamente. La gran pantera volvió la cabeza al cabo de medio minuto.

—Por esto —dijo, cambiando de sitio una de sus patas sobre las hojas—. Ni siquiera yo puedo miraros a los ojos, y yo, Hermanito, nací entre hombres y os quiero. El resto os odia, porque sus ojos no pueden encontrarse con los vuestros..., porque sois

inteligente..., porque les habéis sacado espinas de las patas...,
porque sois un hombre.

—No sabía estas cosas —dijo Mowgli tristemente; e hizo
una mueca de disgusto bajo sus cejas negras y espesas.

—¿Cuál es la Ley de la Selva? Golpear primero y avisar
después. Ellos saben que sois un hombre por lo descuidado
que sois. Pero sed prudente. Me da la sensación de que, cuando Akela falle su próxima presa, y en cada cacería le cuesta
más atrapar el gamo, la Manada se pondrá en contra de él y de
vos. Celebrarán un Consejo de la Selva en la Roca y entonces...
y entonces... ¡Ya lo tengo! —dijo Bagheera, dando un salto—.
Bajad rápidamente a las chozas de los hombres en el valle, y
coged un poco de la Flor Roja que cultivan allí, así cuando llegue el momento, tendréis un amigo incluso más fuerte que yo,
o Baloo, o aquéllos de la Manada que os quieren. Conseguid
la Flor Roja.

Al decir «la Flor Roja», Bagheera se refería al fuego, pero
ninguno de las fieras de la Selva llama al fuego por su nombre.
Todas las fieras le tienen un miedo mortal, y se inventan cien
maneras de describirlo.

—¿La Flor Roja? —dijo Mowgli—. Es la que crece fuera
de sus chozas en el crepúsculo. La traeré.

—Así deben hablar los cachorros de hombre —dijo Bagheera con orgullo—. Recordad que crece en cuencos pequeños.
Coged uno de ellos rápidamente y tenedlo a vuestro lado para
cuando sea necesario.

—¡Bien! —dijo Mowgli—. Voy. Pero ¿estáis segura, Bagheera mía —rodeó con un brazo el cuello espléndido de la pantera
y lo miró a los grandes ojos profundamente—, estáis segura de
que es Shere Khan quien anda detrás de todo esto?

—Por la Cerradura Rota que me dio la libertad, estoy segura, Hermanito.

—Entonces, por el Toro que me compró, daré a Shere Khan lo que se merece, y un poco más, tal vez —dijo Mowgli; y se alejó de un salto.

«Eso es un hombre..., todo un hombre —se dijo Bagheera, tumbándose de nuevo—. ¡Ay, Shere Khan, nunca hubo una cacería tan funesta como vuestra persecución de esta rana hace diez años!».

Mowgli ya estaba adentrándose en la Selva, corriendo a toda velocidad, el corazón le ardía en el pecho. Llegó a la cueva cuando se estaba levantando la neblina del anochecer, tomó una gran bocanada de aire, y se quedó mirando valle abajo. Los lobeznos habían salido, pero Madre Loba, desde el fondo de la cueva, supo al oírlo respirar que su ranita estaba preocupada por algo.

—¿Qué ocurre, hijo? —preguntó.

—Cotilleos de Shere Khan, que parece un murciélago parlanchín —contestó—. Esta noche cazaré en los campos arados.

Y se lanzó cuesta abajo entre los arbustos, hasta el arroyo del fondo del valle. Allí se detuvo, pues había oído los aullidos de la Manada cazando, los bramidos de un *sambhur* perseguido, y el resoplido del gamo al verse acorralado. Entonces se oyeron los gritos perversos y mordaces de los lobos jóvenes:

—¡Akela! ¡Akela! Que el Lobo Solitario demuestre su fuerza. ¡Haced sitio al jefe de la Manada! ¡Saltad, Akela!

El Lobo Solitario debió de saltar y fallar la presa, porque Mowgli oyó el chasquido de sus dientes y después un quejido cuando el *sambhur* lo tiró al suelo con una pata delantera.

No esperó a ver nada más, y siguió corriendo; los aullidos se fueron apagando tras él a medida que entraba en las tierras cultivadas donde vivían los aldeanos.

—Así que Bagheera decía la verdad —jadeó mientras se instalaba sobre un montón de forraje que había junto a la ventana de una choza—. Mañana será un día importante para Akela y para mí.

Después, pegó la cara a la ventana y se puso a observar el fuego que ardía sobre el suelo. Vio a la mujer del campesino levantarse por la noche y alimentarlo echando unos trozos de algo negro; y al llegar la mañana, cuando las nieblas eran blancas y frías, vio al hijo del hombre coger una olla de mimbre forrada de tierra por dentro, llenarla de trozos de carbón al rojo vivo, meterla debajo de su manta, y salir a ocuparse de las vacas en el establo.

—¿Eso es todo? —dijo Mowgli—. Si un cachorro puede hacerlo, no hay nada que temer.

Así que dio la vuelta a la esquina y se encontró con el chico, le quitó la olla de las manos y desapareció en la neblina mientras el muchacho se quedaba dando alaridos de terror.

—Se parecen mucho a mí —dijo Mowgli, soplando en la olla, como había visto hacer a la mujer—. Esto se va a morir si no le doy de comer.

Y echó ramitas y corteza seca sobre la cosa roja. Había subido la mitad de la cuesta cuando vio a Bagheera, con el rocío de la mañana brillándole en la piel como piedras del Amazonas.

—Akela ha fallado —dijo la Pantera—. Lo hubieran matado ayer por la noche, pero faltabais vos. Os estuvieron buscando por la cuesta.

—Estaba en las tierras de cultivo. Estoy preparado. ¡Mirad! Mowgli levantó la olla llena de fuego.

—¡Bien! Pero he visto a los hombres meter una rama seca dentro de eso y la Flor Roja florece en la punta rápidamente. ¿No os da miedo?

—No. ¿Por qué iba a tener miedo? Recuerdo ahora, si no es un sueño, que antes de ser un lobo me tumbaba junto a la Flor Roja, y era cálida y agradable.

Mowgli pasó todo ese día en la cueva, ocupándose de su olla de fuego y metiéndole ramas secas para ver cómo se ponían.

Encontró una que le agradaba, y cuando Tabaqui vino a la cueva por la noche y le dijo de forma bastante grosera que lo estaban esperando en la Roca del Consejo, se rio de él hasta que Tabaqui salió corriendo. Entonces Mowgli se dirigió al Consejo, riéndose todavía.

Akela, el Lobo Solitario, estaba tumbado a un lado de su roca, como símbolo de que la jefatura de la Manada estaba vacante, y Shere Khan, seguido de sus lobos alimentados de sobras, se paseaba de un lado a otro, dejándose adular abiertamente. Bagheera estaba tumbada junto a Mowgli, que tenía la olla de fuego entre las rodillas. Cuando estuvieron todos reunidos, Shere Khan comenzó a hablar, cosa que nunca se hubiera atrevido a hacer en los buenos tiempos de Akela.

—No tiene derecho —susurró Bagheera—. Decidlo. Es descendiente de perros. Se asustará.

Mowgli se levantó de un salto.

—Pueblo Libre —exclamó—, ¿es Shere Khan el jefe de la Manada? ¿Qué tiene que ver un tigre con nuestra jefatura?

—Teniendo en cuenta que la jefatura está vacante, y habiéndoseme pedido que hable... —empezó Shere Khan.

—¿Quién lo ha pedido? —dijo Mowgli—. ¿Es que somos todos chacales, para tener que adular a este carnicero de ganado? La jefatura de la Manada es cosa de la Manada.

Se oyeron gritos que decían:

—¡Silencio, cachorro de hombre!

—Dejadle hablar. Ha respetado nuestra ley.

Y al final, los más viejos de la Manada bramaron:

—Dejad hablar al Lobo Muerto.

Cuando el jefe de una manada ha fallado su presa, se le llama el Lobo Muerto mientras vive, que no es mucho por norma general.

Akela levantó su cabeza avejentada con aire de cansancio:

—Pueblo Libre, y vosotros también, chacales de Shere Khan, durante muchas estaciones os he llevado de caza y os he traído, y conmigo ninguno ha caído en una trampa ni ha vuelto mutilado.

»Ahora he fallado mi presa. Sabéis cómo se preparó esta conspiración. Sabéis cómo me llevasteis ante un gamo que no había corrido, para poner en evidencia mi debilidad. Fue un plan astuto.

»Tenéis derecho a matarme aquí, en la Roca del Consejo, ahora. Por lo tanto, yo pregunto: ¿quién viene a acabar con el Lobo Solitario? Pues tengo derecho, según la Ley de la Selva, a que vengáis de uno en uno.

Se hizo un largo silencio, pues ningún lobo quería luchar a muerte con Akela a solas.

Entonces Shere Khan rugió:

—¡Bah! ¿Qué nos importa este memo desdentado? ¡Está condenado a morir! El cachorro de hombre es quien ha vivido demasiado. Pueblo Libre, ha sido presa mía desde el primer momento. Dádmelo. Ya estoy harto de este lobo-hombre y sus tonterías. Lleva diez estaciones estorbando en la Selva. Dadme el cachorro de hombre, o cazaré aquí siempre, y no os daré ni un hueso. ¡Es un hombre, hijo de hombres, y yo lo odio hasta los tuétanos!

Entonces más de la mitad de la Manada gritó:

—¡Un hombre! ¡Un hombre! ¿Qué tenemos nosotros que ver con un hombre? Que vuelva donde pertenece.

—¿Y hacer que la gente de las aldeas se ponga en contra de nosotros? —vociferó Shere Khan—. No; dádmelo a mí. Es un hombre y ninguno de nosotros es capaz de aguantarle la mirada.

Akela volvió a levantar la cabeza y dijo:

—Ha comido de nuestra comida. Ha dormido con nosotros. Nos ha proporcionado caza. No ha quebrantado ni una palabra de la Ley de la Selva.

—Además, yo pagué un toro por él cuando fue aceptado. Un toro no tiene mucho valor, pero el honor de Bagheera es algo por lo que quizá esté dispuesta a pelear —dijo Bagheera con su voz más suave.

—¡Un toro pagado hace diez años! —rugió la Manada—. ¿Qué nos importan unos huesos que tienen diez años?

—¿Un juramento tampoco? —dijo Bagheera, enseñando sus dientes blancos por debajo del labio—. ¡Y os hacéis llamar el Pueblo Libre!

—Un cachorro de hombre no puede correr con el Pueblo de la Selva —aulló Shere Khan—. ¡Dádmelo a mí!

—Es nuestro hermano en todo menos en la sangre —siguió Akela—. ¡Y vosotros seríais capaces de matarlo aquí mismo! Es cierto que he vivido demasiado. Algunos de vosotros sois comedores de ganado, y de otros he oído decir que, siguiendo instrucciones de Shere Khan, os acercáis en plena noche y robáis niños de las puertas de los aldeanos. Por lo tanto, sé que sois cobardes y que me dirijo a unos cobardes. Es cierto que he de morir y que mi vida no vale nada, ya que si no la ofrecería en lugar de la del cachorro de hombre. Pero por el honor de la Manada, una pequeñez de la que os habéis olvidado al estar sin jefe, yo prometo que si permitís que el cachorro de hombre vuelva al lugar donde pertenece, cuando llegue el momento de morir no enseñaré ni un diente en contra de vosotros. Moriré sin luchar. Al menos, esto salvará a la Manada tres vidas. Más no puedo hacer; pero si estáis de acuerdo, puedo ahorraros la vergüenza de matar a un hermano que no ha cometido ninguna falta, un hermano que fue defendido y por el que se pagó entrando en la Manada según la Ley de la Selva.

—¡Es un hombre..., un hombre..., un hombre! —rugió la Manada.

Y la mayoría de los lobos empezaron a congregarse en torno a Shere Khan, que había empezado a balancear la cola.

—Ahora el asunto está en vuestras manos —dijo Bagheera a Mowgli—. Nosotros ya no podemos hacer nada más que luchar.

Mowgli se puso en pie, la olla de fuego entre las manos. Entonces estiró los brazos y bostezó frente al Consejo; pero estaba frenético por la ira y el dolor, ya que los lobos, portándose lobunamente, nunca le habían dicho cuánto lo odiaban.

—¡Escuchad! —gritó—. Sobra toda esta cháchara de perros. Me habéis dicho tantas veces esta noche que soy un hombre (y yo realmente hubiera sido un lobo hasta el fin de mi vida, quedándome con vosotros), que creo que vuestras palabras son ciertas. Así que ya no os llamaré mis hermanos, sino *jag* (perros), como le corresponde a un hombre. Lo que hagáis o no hagáis, no es asunto vuestro. Es asunto mío; y para que podamos verlo de forma más clara, yo, el hombre, he traído aquí un poco de la Flor Roja que vosotros, los perros, teméis.

Lanzó al suelo la olla de fuego, y algunas de las brasas prendieron una mata de musgo seco, que empezó a arder, mientras todo el Consejo se echaba hacia atrás aterrorizado ante el movimiento de las llamas.

Mowgli metió su rama seca en el fuego hasta que se prendieron los brotes dando chasquidos, y la agitó por encima de su cabeza entre los lobos agazapados.

—Vos sois el amo —dijo Bagheera en voz baja—. Salvad a Akela de la muerte. Siempre fue vuestro amigo.

Akela, el lobo viejo y serio que nunca había pedido misericordia en su vida, dirigió a Mowgli una mirada lastimera mientras el niño seguía en pie, completamente desnudo, el pelo largo cayéndole sobre los hombros a la luz de la rama chispeante que agitaba las sombras y las hacía temblar.

—¡Bien! —dijo Mowgli, mirando lentamente a su alrededor—. Ya veo que sois perros. Os dejo para irme con los míos..., si es que son los míos. La Selva me da la espalda, y debo olvidarme de vuestras palabras y vuestra amistad; pero yo seré más compasivo que vosotros. Por haber sido todo menos vuestro hermano de sangre, prometo que cuando sea un hombre entre los hombres, no os traicionaré ante ellos como me habéis traicionado a mí.

Dio una patada al fuego y saltaron chispas.

—No habrá guerra entre ninguno de nosotros y la Manada. Pero tengo que pagar una deuda antes de marcharme.

Dio unas zancadas hasta llegar donde Shere Khan estaba sentado parpadeando estúpidamente ante las llamas, y lo cogió por el puñado de pelo que tenía bajo la barbilla. Bagheera lo siguió, por si acaso.

—¡Levántate, perro! —gritó Mowgli—. ¡Levántate cuando te habla un hombre, o te pongo el pelo en llamas!

Shere Khan, que tenía las orejas aplastadas contra la cabeza, cerró los ojos, ya que el fuego de la rama estaba muy cerca.

—Este matador de ganado dijo que me mataría en el Consejo porque no me había matado cuando yo era un cachorro. Así castigamos a los perros cuando somos hombres. ¡Moved un pelo del bigote, Lungri, y os meto la Flor Roja por el gaznate! Dio a Shere Khan con la rama en la cabeza, y el tigre gimoteó y aulló, en una agonía de terror.

—¡Puaj! Gato de la Selva chamuscado... ¡Ahora, marchaos! Pero recordad que la próxima vez que venga a la Roca del Consejo, como le corresponde a un hombre, será llevando la piel de Shere Khan encima de la cabeza. Por lo demás, Akela queda en libertad, para vivir como le plazca. No lo mataréis, porque no es ésta mi voluntad. Tampoco espero que sigáis aquí sentados durante más tiempo, sacando la lengua como si fuerais alguien importante, en lugar de perros a los que yo echo. Así que... ¡fuera!

El fuego ardía furiosamente al final de la rama, Mowgli empezó a moverla a derecha e izquierda, alrededor del círculo, y los lobos salieron corriendo, aullando, las brasas quemándoles el pelo. Al final sólo quedaron Akela, Bagheera, y unos diez lobos que se habían puesto de parte de Mowgli. Entonces a Mowgli empezó a dolerle algo por dentro, como no le había dolido nada en su vida, y, respirando profundamente, lloró, y las lágrimas le corrieron por la cara.

—¿Qué es esto? ¿Qué es esto? —dijo—. No quiero irme de la Selva, y no sé qué es esto. ¿Me estoy muriendo, Bagheera?

—No, Hermanito. Eso no son más que lágrimas, como las que usan los hombres —dijo Bagheera—. Ahora ya sé que sois un hombre, y no un cachorro de hombre. Es cierto que la Selva está cerrada para vos a partir de ahora. Dejadlas correr, Mowgli. Solo son lágrimas.

Así que Mowgli se sentó y lloró como si se le fuera a romper el corazón; era la primera vez que lloraba.

—Ahora —dijo—, iré con los hombres. Pero antes debo decir adiós a mi madre.

Y fue a la cueva donde ella vivía con Padre Lobo, y lloró apoyado sobre su piel, mientras los cuatro lobeznos aullaban tristemente.

—¿No me olvidaréis? —dijo Mowgli.

—Nunca, mientras seamos capaces de seguir un rastro —dijeron los lobeznos—. Venid al pie de la cuesta cuando seáis

un hombre, y hablaremos con vos; y entraremos en las tierras cultivadas para jugar con vos por la noche.

—¡Venid pronto! —dijo Padre Lobo—. Ranita sabia, volved pronto, porque vuestra madre y yo somos ya viejos.

Venid pronto —dijo Madre Loba—, mi pequeño hijo desnudo; porque, escuchad, hijo de hombre, os quiero más de lo que he querido nunca a mis cachorros.

—Por supuesto que volveré —dijo Mowgli— y cuando vuelva será para poner la piel de Shere Khan en la Roca del Consejo. ¡No me olvidéis! ¡Decid a todos en la Selva que nunca me olviden!

Despuntaba la aurora cuando Mowgli bajó la cuesta, a solas, en busca de esos seres misteriosos llamados hombres.

Canción de caza de la Manada de Seeonee

Al romper el alba, el *sambhur* bramó.
¡Una vez, dos veces, tres!
Y saltó una gama, una gama saltó
en el lago donde va el ciervo a beber.
Todo esto lo vi yo.
¡Una vez, dos veces, tres!

Al romper el alba, el *sambhur* bramó.
¡Una vez, dos veces, tres!
Y salió un lobo, un lobo salió,
para dar la noticia a conocer.
Todas las fieras aullamos tras él.
¡Una vez, dos veces, tres!

Al romper el alba, la Manada gritó.
¡Una vez, dos veces, tres!
¡Pisadas que en la Selva no se oyen!
¡Ojos que ven de noche, sí, de noche!
¡Dad el aviso y escuchad también!
¡Una vez, dos veces, tres!

La caza de Kaa

Sus manchas son el gozo del leopardo,
y el orgullo del búfalo sus cuernos.
Sed limpios, pues la fuerza del que caza
se juzga por la piel y por su brillo.
Si descubrís el ímpetu del toro,
del *sambhur* la cornada poderosa,
no os paréis a contárselo a ninguno,
pues es una noticia archisabida.
No hagáis daño al cachorro forastero
y tratadlo siempre como hermano,
que, aunque parezca torpe y desvalido,
bien pudiera tener por padre al oso.
«¡No hay nadie como yo!», dice el cachorro,
cuando logra matar por vez primera;
pero la Selva es grande y él pequeño:
dejémosle pensar para que aprenda.

MÁXIMAS DE BALOO

Todo lo que aquí se cuenta ocurrió algún tiempo antes de que Mowgli fuera expulsado de la Manada de Lobos de Seeonee, y se vengara de Shere Khan, el tigre. Era en la época en que Baloo le enseñaba la Ley de la Selva. El enorme oso, serio, viejo y de color pardo, estaba encantado de tener un alumno tan listo, ya que los lobeznos solo quieren aprender de la Ley de la Selva lo que concierne a su propia manada y tribu, y salen corriendo en cuanto aprenden los Versos de la Casa: «Pies que no hacen ruido; ojos que ven en la oscuridad; orejas que oyen los vientos desde el cubil; y dientes afilados y blancos, todas estas cosas son las marcas de nuestros hermanos, excepto Tabaqui, el chacal, y la hiena, a los que odiamos». Pero Mowgli, al ser un cachorro de hombre, tuvo que aprender mucho más que esto. A veces Bagheera, la pantera negra, se acercaba, contoneándose perezosamente por la Selva, para ver cómo se las arreglaba su niño mimado, y ronroneaba con la cabeza apoyada en un árbol mientras Mowgli recitaba a Baloo la lección del día. El niño trepaba casi igual de bien que nadaba, y nadaba casi igual de bien que corría; así que Baloo, el Maestro de la Ley, le enseñó las lecciones referentes al Bosque y las Aguas; cómo distinguir una rama podrida de una sana; cómo hablar educadamente con las abejas silvestres cuando se encontrara una de sus colmenas a quince metros del suelo; qué decirle a Mang, el murciélago, cuando lo molestara entre las ramas al mediodía, y cómo avisar a las serpientes de agua de las lagunas antes de lanzarse entre ellas. A ninguno de los habitantes de la Selva le gusta que lo molesten, y todos están dispuestos a echarse encima del intruso. Después Mowgli también aprendió la Llamada del Cazador Forastero, que hay que repetir en voz alta hasta que sea contestada, siempre que uno de los habitantes de la Selva cace fuera de su propio territorio. Traducido significa: «Dadme permiso para cazar aquí, porque tengo hambre»; y la respuesta es: «Cazad, pues, para comer, pero no por placer».

Todo esto os demuestra la cantidad de cosas que Mowgli tuvo que aprenderse de memoria, y se hartaba de decir lo mismo más de cien veces; pero como le dijo Baloo a Bagheera un día que había pegado a Mowgli y éste se había marchado furioso:

—Un cachorro de hombre es un cachorro de hombre, y tiene que aprender toda la Ley de la Selva.

—Pero tened en cuenta lo pequeño que es —dijo la pantera negra, que hubiera malcriado a Mowgli si de ella dependiera—. ¿Cómo va a ser capaz de meterse toda vuestra palabrería en esa cabeza tan pequeña?

—¿En la Selva hay algo que sea demasiado pequeño para que interese matarlo? No. Por eso le enseño estas cosas, y por eso le pego, muy suavemente, cuando olvida algo.

—¡Suavemente! ¿Qué sabéis vos de suavidad, viejo Pies de Plomo? —gruñó Bagheera—. Hoy tiene toda la cara magullada gracias a vuestra... suavidad. ¡Puaj!

—Más valdría que estuviera magullado de pies a cabeza por mí, que lo quiero, y no que le ocurriera una desgracia por su ignorancia —contestó Baloo con mucho convencimiento—. Ahora le estoy enseñando las palabras clave de la Selva, que lo protegerán contra los pájaros, el Pueblo de las Serpientes, y todos los que cazan sobre cuatro patas, excepto su propia

Manada. Ahora puede pedir protección, si es capaz de acordarse de las palabras, a todos los habitantes de la Selva. ¿No compensa recibir unos pocos golpes?

—Bueno, pero tened cuidado de no matar al cachorro de hombre. No es una corteza de árbol cualquiera, en la que podáis afilar vuestras garras ásperas. Pero ¿qué son esas palabras clave? Yo suelo dar ayuda, no pedirla —Bagheera estiró una pata y contempló con admiración las garras de color azul acerado, afiladas como un cincel—, pero me gustaría conocerlas.

—Voy a llamar a Mowgli y él os las dirá... si quiere. ¡Venid, Hermanito!

—Me zumba la cabeza como un árbol lleno de abejas —dijo una vocecita malhumorada por encima de ellos, y Mowgli se deslizó por una corteza de árbol, rabioso e indignado, añadiendo al llegar al suelo:

—Vengo por Bagheera, no por vos, Baloo, ¡viejo gordinflón!

—Eso me tiene sin cuidado —dijo Baloo, aunque le dolió y entristeció—. Decid a Bagheera, entonces, las palabras clave de la Selva que os he enseñado hoy.

—¿Las palabras clave para quién? —dijo Mowgli, encantado de poder presumir—. La Selva tiene muchas lenguas. Yo las conozco todas.

—Un poco sí sabéis, pero no mucho. Ved, Bagheera, como nunca se muestran agradecidos con su maestro. Ni uno de los pequeños lobeznos ha venido a dar las gracias al viejo Baloo por sus enseñanzas. Decid entonces las palabras para el Pueblo Cazador..., gran sabio.

—Vos y yo somos de la misma sangre —dijo Mowgli diciendo las palabras con el acento de oso que tienen todos los del Pueblo Cazador.

—Bien. Ahora para los pájaros.

Mowgli las repitió, con el silbido del milano al final de la frase.

—Ahora para el Pueblo de las Serpientes —dijo Bagheera.

La respuesta fue un siseo absolutamente indescriptible, y Mowgli saltó por los aires juntando los pies por detrás, dio una palmada para aplaudirse a sí mismo, y cayó sobre la espalda de Bagheera, se sentó de lado, tamborileó con los talones sobre la piel brillante y le hizo a Baloo las muecas más horrorosas que se le ocurrieron.

—Bueno... ¡bueno! Os ha valido la pena un cardenal de nada —dijo el oso pardo con ternura—. Algún día, os acordaréis de mí.

Entonces se dio la vuelta para contarle a Bagheera cómo le había suplicado a Hathi, el elefante salvaje, para que le dijera las palabras clave, pues Hathi lo sabe todo en cuanto a ellas se refiere, cómo Hathi había bajado con Mowgli a una laguna para conseguir de una serpiente de agua las palabras para el Pueblo de las Serpientes, porque Baloo no sabía pronunciarlas, y cómo Mowgli estaba ahora bastante seguro contra cualquier accidente en la Selva, porque no le harían daño las serpientes, los pájaros, ni las fieras.

—Por lo tanto, no hay a quien temer —terminó Baloo, dándose palmaditas orgullosas en el estómago cubierto de pelo.

—Excepto a su propia tribu —dijo Bagheera para sí; luego, en voz alta, dijo a Mowgli—: ¡Un poco de respeto con mis costillas, Hermanito! ¿A qué viene tanto baileteo?

Mowgli había estado intentando que lo escucharan, tirando del pelo de los hombros a Bagheera y dándole patadas con fuerza.

Cuando los dos le prestaron atención, estaba gritando a pleno pulmón:

—Y entonces tendré mi propia tribu, y me seguirán por las ramas todo el día.

—¿Qué nueva locura es ésta, soñador entre los soñadores? —dijo Bagheera.

—Sí, y al viejo Baloo le tiraré ramas y barro —siguió Mowgli—. Me lo han prometido. ¡Ah!

—¿Wuuf?

La enorme pata de Baloo levantó a Mowgli de la espalda de Bagheera, y el niño, al quedar encajado entre las grandes patas delanteras, se dio cuenta de que el oso estaba indignado.

—Mowgli, habéis estado hablando con los *bandar-log*, el Pueblo de los Monos.

Mowgli miró a Bagheera para ver si la pantera también estaba furiosa, y los ojos de Bagheera mostraban la misma dureza que dos piedras de jade.

—Habéis estado con el Pueblo de los Monos..., los monos grises..., el Pueblo sin Ley..., los que comen cualquier cosa. Esto es una gran vergüenza.

—Cuando Baloo me hizo daño en la cabeza —dijo Mowgli (seguía tumbado boca arriba)—, me marché, y los monos grises bajaron de los árboles y me compadecieron. Fueron los únicos que me hicieron caso —añadió con voz algo llorosa.

—La compasión del Pueblo de los Monos —resopló Baloo—. ¡La quietud de un arroyo de montaña! ¡El frescor de un sol de verano! ¿Y después, cachorro de hombre?

—Y después, y después, me dieron nueces y cosas buenas de comer, y me... me llevaron en brazos a la parte más alta de los árboles y me dijeron que soy su hermano de sangre, aunque no tenga cola, y que llegaré a ser su jefe un día.

—No tienen jefe —dijo Bagheera—. Mienten. Siempre han mentido.

—Fueron muy amables y me rogaron que volviera de nuevo. ¿Por qué nunca me habéis llevado con el Pueblo de los Monos? Andan sobre dos pies, como yo. No me dan golpes con zarpas duras. Juegan durante todo el día. ¡Dejad que me levante! Malo, Baloo, ¡dejad que me levante! Volveré a jugar con ellos.

—Escuchad, cachorro de hombre —dijo el oso, con una voz que retumbaba como el trueno en una noche de calor—. Os he enseñado toda la Ley de la Selva para todos los pueblos de la Selva... excepto el Pueblo de los Monos que viven en los árboles. No tienen Ley. Los despreciamos. No tienen un habla propia, sino que usan las palabras robadas que les llegan cuando escuchan, espían, y esperan ahí arriba, entre las ramas. Sus costumbres no son las nuestras. No tienen jefes. No tienen memoria. Presumen y hablan sin parar y creen que son un gran pueblo que está a punto de hacer cosas muy importantes en la Selva, pero la caída de una nuez los distrae, haciéndolos reír, y todo queda olvidado. Nosotros, los de la Selva, no nos tratamos con ellos. No bebemos donde beben los monos; no vamos donde van los monos; no cazamos donde cazan ellos; no morimos donde mueren ellos. ¿Me habíais oído hablar de los *bandar-log* antes?

—No —susurró Mowgli, pues la Selva se había quedado muy silenciosa al terminar Baloo.

—El Pueblo de la Selva los ha alejado de su boca y su pensamiento. Son muchísimos, malos, sucios, desvergonzados, y desean, si es que tienen algún deseo fijo, que el Pueblo de la Selva les preste atención. Pero nosotros no les hacemos caso, ni siquiera cuando nos tiran nueces y basura a la cabeza.

Apenas había terminado de hablar cuando una lluvia de nueces y ramas se desparramó desde los árboles de encima; y en las alturas se oyeron toses y alaridos y saltos enfurecidos sobre las ramas endebles.

—El Pueblo de los Monos está prohibido —dijo Baloo—, prohibido para el Pueblo de la Selva. Recordadlo.

—Prohibido —dijo Bagheera—; pero, de todas formas, Baloo tenía que haberos prevenido sobre ellos.

—¿Yo?... ¿Yo? ¿Cómo iba a imaginar que jugaría con semejante basura? ¡El Pueblo de los Monos! ¡Bah!

Les cayó una nueva lluvia sobre la cabeza y ambos se marcharon de allí al trote, llevando consigo a Mowgli. Lo que había dicho Baloo sobre los monos era absolutamente cierto. Su sitio está en las copas de los árboles, y como las fieras levantan la vista muy de vez en cuando, no surge la ocasión para que se crucen en el mismo camino los monos y el Pueblo de la Selva. Pero siempre que veían un lobo enfermo, un tigre o un oso herido, lo atormentaban, y a cualquier fiera le lanzaban palos y nueces, para divertirse y con la esperanza de llamar la atención. Después aullaban y berreaban canciones absurdas, o invitaban a los habitantes de la Selva a subir a sus árboles para luchar con ellos, o provocaban batallas enfurecidas entre ellos mismos, sin ningún motivo, y dejaban a los monos muertos donde el Pueblo de la Selva pudiera verlos. Siempre estaban a punto de tener un jefe y leyes y costumbres propias, pero nunca lo lograban, porque la memoria no les duraba de un día para otro, y lo arreglaban todo con un dicho que habían inventado: «Lo que los *bandar-log* piensan ahora, la Selva lo pensará más adelante», y esto los consolaba muchísimo. Ninguna de las fieras podía alcanzarlos pero, por otra parte, ninguna de ellas les hacía caso; por eso se pusieron tan contentos cuando Mowgli fue a jugar con ellos, y al oír lo furioso que estaba Baloo.

No tenían ninguna intención de ir más lejos... Los *bandar-log* nunca tienen ninguna intención de nada; pero uno de ellos inventó lo que a él le pareció una idea brillante, y le dijo al resto que Mowgli podía ser una persona útil para la tribu porque sabía entrelazar ramas para protegerlos del viento; así que, si lo atrapaban, podían hacer que les enseñara. Está claro que Mowgli, siendo hijo de un leñador, había heredado una serie de instintos, y hacía chozas pequeñas con las ramas caídas, sin darse cuenta de cómo lo había hecho, y el Pueblo de los Monos, mirando desde los árboles, consideraba este juego como una maravilla. Esta vez, dijeron, sí que iban a tener un jefe y convertirse en el pueblo más sabio de la Selva..., tan sabio que todos les prestarían atención y tendrían envidia de ellos. Por tanto, siguieron a Baloo, Bagheera y Mowgli por la Selva, sin hacer ruido, hasta que llegó la hora de la siesta del mediodía, y Mowgli, que estaba muy avergonzado de sí mismo, durmió entre la pantera y el oso, decidido a no volver a tratarse con el Pueblo de los Monos.

Lo siguiente que logró recordar fue el contacto de unas manos sobre sus piernas y brazos (manos duras, fuertes y pequeñas), y después unas ramas que le daban en la cara; entonces se encontró mirando hacia abajo, entre árboles que se balanceaban, mientras Baloo despertaba a la Selva con sus gritos roncos y Bagheera se abalanzaba sobre un tronco, trepando por él, enseñando todos los dientes. Los *bandar-log* dieron aullidos de victoria y subieron ruidosamente a las ramas superiores, donde Bagheera no se atrevía a seguirlos, gritando:

—¡Nos ha hecho caso! Bagheera nos ha hecho caso. Todos los habitantes de la Selva nos admiran por nuestra astucia y habilidad.

Entonces empezaron su huida; y la huida del Pueblo de los Monos por el país de los árboles es algo imposible de describir. Tienen sus calles e intersecciones de rigor, subidas y bajadas, todo ello trazado a unos quince, veinte o treinta metros por encima del suelo, y pueden viajar incluso de noche, si es necesario. Dos de los monos más fuertes cogieron a Mowgli por

debajo de los brazos y se alejaron con él, columpiándose de rama en rama, dando saltos de más de seis metros. De haber viajado solos hubieran ido el doble de rápido, pero el peso del chico los retenía. Mowgli se encontraba mareado y aturdido, pero la verdad es que estaba disfrutando de aquella carrera alocada, aunque lo poco que lograba ver del suelo parecía estar muy lejos y aquellos frenazos bruscos después de cada balanceo hacían que se le subiera el corazón a la boca. Su acompañante lo subía a un árbol con gran rapidez, hasta que Mowgli notaba que las ramas más altas y delgadas crujían y se doblaban bajo su peso, y entonces, con un resoplido y un grito, el mono se lanzaba con él hacia abajo, hasta llegar a las ramas inferiores del siguiente árbol, que agarraba con los pies o las manos. A veces Mowgli veía kilómetros y kilómetros de selva verde e inmóvil, igual que un hombre encaramado a un mástil divisa leguas de océano a su alrededor, pero al momento siguiente las ramas y hojas ya le estaban arañando la cara, y él y sus dos guardianes volvían a dejarse caer casi hasta el suelo. De este modo, saltando, haciendo ruido, resoplando y aullando, la tribu entera de los *bandar-log* se fue columpiando por los caminos de la Selva, llevando prisionero a Mowgli.

Al principio temía que lo dejaran caer, luego empezó a enfurecerse, aunque sabía que era una tontería intentar luchar, y finalmente, se puso a pensar. Lo primero que tenía que hacer era mandar noticias a Baloo y Bagheera, ya que, con la velocidad a la que iban los monos, sabía que sus amigos quedarían atrás. Mirar hacia abajo era inútil, porque solo podía ver la parte de arriba de las ramas, así que levantó la vista y divisó a lo lejos, en mitad del cielo azul, a Chil, el milano, revoloteando por encima de la Selva en espera de que algo se muriese. Chil se dio cuenta de que los monos llevaban algo, y se dejó caer unos centenares de metros para averiguar si su carga era comestible. Dio un silbido de sorpresa al ver cómo subían a Mowgli a la copa de un árbol y le oyó decir, en la lengua del milano: «Vos y yo somos de la misma sangre». Mowgli volvió a quedar sumergido en un mar de hojas, pero Chil se acercó al árbol siguiente, y en ese momento volvió a aparecer la cara de Mowgli, pequeña y marrón.

—¡Seguid mi rastro! —gritó éste—. ¡Avisad a Baloo, de la Manada de Seeonee, y a Bagheera, de la Roca del Consejo!

—¿En nombre de quién, Hermano? —preguntó Chil, que nunca había visto a Mowgli, aunque, por supuesto, había oído hablar de él.

—Mowgli, la Rana. ¡Me llaman cachorro de hombre! ¡Seguid mi rastro!

Las últimas palabras las chilló cuando ya se lo llevaban por los aires, pero Chil asintió con la cabeza y se fue elevando en el aire hasta no parecer mayor que una mota de polvo, y allí se quedó suspendido, observando con sus ojos telescópicos cómo se movían las copas de los árboles mientras la escolta de Mowgli iba avanzando.

—Nunca van muy lejos —dijo soltando una risita—. Nunca hacen lo que pretenden hacer. Esos *bandar-log* se dedican a picotear las cosas nuevas. Pero esta vez, o yo estoy ciego, o han picoteado algo que les va a traer problemas, porque Baloo no es precisamente un novato y sé muy bien que Bagheera es capaz de matar algo más que cabras.

Dicho esto, se quedó balanceándose en el aire, con las patas encogidas, esperando. Mientras tanto, Baloo y Bagheera estaban enloquecidos de dolor y de pena. Bagheera había trepado más alto que nunca, pero las ramas delgadas se rompían bajo su peso, y acabó deslizándose hasta el suelo, las garras llenas de cortezas.

—¿Por qué no se lo habíais advertido al cachorro de hombre? —rugió al pobre Baloo, que había echado a correr torpemente, con la esperanza de alcanzar a los monos —. ¿De qué sirve casi matarlo a golpes si luego no le advertís?

—¡Daos prisa! ¡Daos prisa! ¡Puede..., puede que aún los cojamos! —jadeó Baloo.

—¡A esa velocidad! No lograríais cansar ni a una vaca herida. Maestro de la Ley... azotacachorros..., un kilómetro tambaleándoos así y acabaréis explotando. ¡Sentaos y pensad! Haced un plan. No es conveniente seguirlo. Pueden dejarlo caer si los seguimos muy de cerca.

—¡Arrula! ¡Woo! Puede que ya lo hayan hecho, cansados de llevarlo. ¿Quién se fía de los *bandar-log*? ¡Que me pongan murciélagos muertos encima de la cabeza! ¡Que me den de comer huesos negros! ¡Que me metan en las colmenas de las abejas silvestres para que me maten a picotazos, y que me entierren con la hiena, pues soy el más despreciable de los osos! ¡Arrulala! ¡Waooa! ¡Ay, Mowgli, Mowgli! ¿Por qué no os previne contra el Pueblo de los Monos, en vez de romperos la cabeza? ¿Y si resulta que con mis golpes se le ha olvidado la lección del día y ahora está solo en la Selva, sin saber las palabras clave?

Baloo se tapó las orejas con las patas y rodó hacia delante y hacia atrás, aullando.

—Pues a mí me dijo las palabras correctamente hace poco tiempo —dijo Bagheera impacientándose—. Baloo, no tenéis memoria ni dignidad. ¿Qué pensarían en la Selva si yo, la pantera negra, me hiciera un ovillo como Ikki, el puercoespín, y diera alaridos?

—¿A mí qué me importa lo que piense la Selva? A estas alturas, puede que él ya esté muerto.

—A no ser que lo dejen caer de entre las ramas a lo tonto, o lo maten de puro aburrimiento, no creo que haya que temer por el cachorro de hombre. Es inteligente y está bien preparado, y además, posee la mirada que asusta al Pueblo de la Selva. Pero (y esto es terrible) está en poder de los *bandar-log,* que, como viven entre los árboles, no temen a los de nuestro pueblo.

Bagheera se lamió una pata delantera pensativamente.

—¡Tonto de mí! ¡Ah, no soy más que un tonto gordo y marrón que se dedica a desenterrar raíces! —dijo Baloo, estirándose bruscamente—. Es cierto lo que dice Hathi, el elefante salvaje: «Todos tenemos miedo a algo»; y ellos, los *bandar-log,* temen a Kaa, la serpiente de la Roca. Trepa igual de bien que ellos. Les roba los monos jóvenes por la noche. Con solo susurrar su nombre se les quedan frías esas colas endemoniadas. Vayamos a ver a Kaa.

—¿De qué nos servirá? No es de nuestra tribu, ya que no tiene pies... y su mirada es de lo más perversa —dijo Bagheera.

—Es muy vieja y muy astuta. Y hay que tener en cuenta que siempre tiene hambre —dijo Baloo, esperanzado—. Prometedle muchas cabras.

—Duerme durante un mes entero, una vez que ha terminado de comer. Puede que ahora esté dormida, pero, aunque esté despierta, ¿qué haremos si resulta que prefiere matar sus propias cabras? —Bagheera, que sabía poco sobre Kaa, desconfiaba, como era natural.

—Pues en ese caso, vos y yo juntos, vieja cazadora, quizá logremos hacerla razonar —dijo Baloo, restregando su hombro de color marrón desteñido contra la pantera, y los dos salieron en busca de Kaa, la serpiente pitón de la Roca.

La encontraron tumbada sobre una roca plana y aún caliente bajo el sol de la tarde, encantada al contemplar su piel nueva y hermosa, pues llevaba diez días cambiándola, sin dejarse ver, y ahora tenía un aspecto realmente espléndido; mantenía la cabeza, pequeña y de nariz achatada, por encima del suelo y retorcía los diez metros de largo de su cuerpo, formando nudos y curvas fantásticas, y relamiéndose al pensar en la cena que la esperaba.

—No ha comido —dijo Baloo, soltando un gruñido de alivio en cuanto vio el hermoso abrigo moteado de marrón y amarillo—. ¡Tened cuidado, Bagheera! Siempre se queda un poco ciega al cambiar la piel, y ataca a la mínima.

Kaa no era una serpiente venenosa (la verdad es que despreciaba a las serpientes venenosas por parecerle cobardes), pero su fuerza residía en su abrazo, y cuando lograba envolver a alguien en sus enormes anillos, la cuestión quedaba zanjada.

—¡Buena caza! —gritó Baloo, sentándose sobre las patas traseras. Como todas las serpientes de su raza, Kaa estaba algo sorda, y al principio no oyó el saludo. Después se encogió, preparada para cualquier cosa, con la cabeza agachada.

—¡Buena caza para todos nosotros! —contestó—. Vaya, Baloo, ¿qué hacéis por aquí? ¡Buena caza, Bagheera! A uno de nosotros, como poco, le hace falta comer. ¿Sabéis si hay caza por aquí? ¿Un gamo, o incluso un cervatillo? Estoy más vacía que un pozo seco.

—Estamos de caza —dijo Baloo de forma despreocupada. Sabía que a Kaa no convenía meterle prisa. Había que tener cuidado con su tamaño.

—Dadme permiso para ir con vosotros —dijo Kaa—. Un zarpazo más o menos no significa nada para vosotros, Bagheera y Baloo, pero yo..., yo tengo que esperar durante días y días en uno de los senderos del bosque y trepar durante media noche ante la mera posibilidad de encontrar un mono joven. ¡Pss-jaa! Las razas de ahora no son como las de antes. Las pequeñas están podridas y las grandes, secas.

—Puede que vuestro enorme peso esté relacionado con este asunto —dijo Baloo.

—Es cierto que abarco un buen trecho..., un buen trecho —dijo Kaa, con cierto orgullo —. Pero, a pesar de todo, la culpa la tiene esta madera nueva. La última vez que fui de caza estuve a punto de caerme..., a punto..., y como no había rodeado bien el tronco del árbol con la cola, el ruido que hice al deslizarme hacia abajo despertó a los *bandar-log*, que me insultaron ferozmente.

—Lombriz de tierra, amarilla y sin patas —dijo Bagheera por debajo de sus bigotes, como si intentara acordarse de algo.

—¡Ssss! ¿Me han llamado eso alguna vez? —dijo Kaa.

—Fue algo parecido lo que nos gritaron durante la última luna, pero no les hicimos ni caso. Son capaces de decir cualquier cosa..., incluso que habéis perdido todos los dientes y que no os atrevéis con nada que sea mayor que un cabrito, porque... (la verdad es que esos *bandar-log* son unos desvergonzados), porque os dan miedo los cuernos de un macho cabrío —siguió diciendo Bagheera con dulzura.

Hay que tener presente que una serpiente, sobre todo una serpiente pitón vieja y cautelosa, como Kaa, casi nunca da muestras de furia, pero Baloo y Bagheera se dieron cuenta de que los enormes músculos que usaba Kaa para tragar se habían hinchado y temblaban a cada lado de su garganta.

—Los *bandar-log* se han mudado de territorio —dijo con tranquilidad—. Al salir al sol hoy los he oído dando aullidos entre las copas de los árboles.

—Pues..., pues... nosotros vamos siguiendo a los *bandar-log* precisamente —dijo Baloo; pero le costó decir aquellas palabras, ya que estaba convencido de que era la primera vez que alguien del Pueblo de la Selva admitía que le interesaban las andanzas de los monos.

—Indudablemente no dejará de tener importancia lo que pone a dos cazadores semejantes..., los jefes de su propia selva, como bien sé..., sobre la pista de los *bandar-log* —contestó Kaa educadamente, llena de curiosidad.

—A decir verdad —comenzó Baloo—, yo no soy más que el viejo, y a veces muy tonto, Maestro de la Ley de los lobeznos de Seeonee, y Bagheera, aquí presente...

—Es Bagheera —dijo la pantera negra, y sus quijadas se cerraron con un chasquido, pues no era partidaria de la modestia—. El asunto es éste, Kaa. Esos ladrones de nueces y recogedores de hojas de palmera nos han robado al cachorro de hombre, de quien quizá hayáis oído hablar.

—Algo me contó Ikki (cuyas púas le hacen ser un presuntuoso) sobre una especie de hombre al que habían admitido en una manada de lobos, pero no le creí. Ikki siempre viene con historias oídas a medias y muy mal contadas.

—Pero es verdad. No ha existido nunca un cachorro de hombre semejante a éste —dijo Baloo—. El mejor, más sabio y más valiente de todos los cachorros de hombre..., mi propio alumno, que hará el nombre de Baloo famoso en todas las selvas; y además, yo... nosotros... lo queremos, Kaa.

—¡Tss! ¡Tss! —dijo Kaa, moviendo la cabeza hacia los lados—. Yo también he conocido el amor. Si yo contara alguna de las historias que...

—Que requieren una noche clara, cuando todos hayamos comido, para poder apreciarlas debidamente —dijo Bagheera con rapidez—. Nuestro cachorro de hombre está ahora en manos de los *bandar-log*, y sabemos que, de todo el Pueblo de la Selva, solo temen a Kaa.

—Solo me temen a mí. Y no les falta razón —dijo Kaa—. Charlatanes, alocados y frívolos..., frívolos, alocados y charlatanes, así son los monos. Pero es malo que algo humano haya caído en sus manos. Se cansan de las nueces que cogen, y las tiran al suelo. Acarrean una rama durante medio día, pretendiendo hacer grandes cosas con ella, y acaban partiéndola en dos. Ese hombrecillo no es digno de envidia. Y a mí me han llamado «pez amarillo», ¿no?

—Lombriz... lombriz... lombriz de tierra —dijo Bagheera—, así como otras cosas que no puedo decir aquí por vergüenza.

—Habrá que recordarles que tienen que hablar bien de su amo. ¡Aaa-sss! Tendremos que refrescarles la memoria. Y bien, ¿hacia dónde se han llevado al cachorro?

—Solo la Selva lo sabe. Hacia la puesta de sol, creo —dijo Baloo—. Pensábamos que vos lo sabríais, Kaa.

—¿Yo? ¿Cómo? Los cojo cuando se me cruzan en el camino, pero no persigo a los *bandar-log*, ni a las ranas..., ni a esa espumilla verde que hay en las lagunas, que para el caso, es lo mismo.

—¡Arriba, arriba! ¡Arriba, arriba! ¡Jilo! ¡Ilo! ¡Ilo! ¡Levantad la vista, Baloo, de la Manada de Lobos de Seeonee!

Baloo miró hacia arriba para ver de dónde venía la voz, y vio a Chil, el milano, que descendía con la luz del sol reflejada en los bordes de sus alas, vueltas hacia arriba. Ya era casi la hora en que Chil se iba a dormir, pero había recorrido toda la Selva en busca del oso, sin lograr encontrarlo en la espesura del follaje.

—¿Qué ocurre? —dijo Baloo.

—He visto a Mowgli con los *bandar-log*. Me ha pedido que os lo diga. Me quedé vigilando. Los *bandar-log* se lo han llevado más allá del río, a la ciudad de los monos..., a las Guaridas Frías. Es posible que estén allí una noche, o diez noches, o una hora. He encargado a los murciélagos que vigilen durante la oscuridad. Esto es todo. ¡Buena caza, a todos los de ahí abajo!

—Os deseo una tripa llena y un sueño profundo, Chil —gritó Bagheera—. ¡Me acordaré de vos al matar la próxima pieza, y la cabeza quedará a vuestra disposición, por ser el mejor de los milanos!

—No es para tanto. No es para tanto. El chico sabía la palabra clave. Es lo menos que podía haber hecho por él. —Y Chil voló hacia arriba, haciendo círculos, en dirección a su escondrijo.

—No se ha olvidado de usar la lengua —dijo Baloo, soltando una carcajada de orgullo—. ¡Pensar que, con lo joven que es, se ha acordado de la palabra clave de los pájaros mientras lo acarreaban por los árboles!

—La tenía bien metida en la cabeza —dijo Bagheera—. Pero estoy orgullosa de él, y ahora debemos ir a las Guaridas Frías.

Todos sabían dónde estaba este sitio, pero pocos habitantes de la Selva iban allí alguna vez, porque lo que llamaban las Guaridas Frías era una antigua ciudad abandonada, perdida y enterrada en la Selva, y las fieras no suelen usar los lugares que han pertenecido a los hombres. Los jabalíes sí lo hacen, pero las tribus cazadoras no. Además, no se podía decir que los monos vivieran allí, puesto que siempre estaban de paso, y ningún animal que tuviera dignidad quería ver aquel lugar ni de lejos, excepto en las épocas de sequía, cuando los depósitos y cisternas medio derruidas conservaban algo de agua.

—Se tarda media noche en llegar... yendo a toda velocidad —dijo Bagheera, y Baloo se puso muy serio.

—Iré todo lo rápido que pueda —dijo con preocupación.

—Será mejor que no os esperemos. Seguidnos, Baloo. Kaa y yo debemos ir a un paso más rápido.

—Con pies o sin ellos, yo voy tan deprisa como vos, que tenéis cuatro —dijo Kaa lacónicamente.

Baloo hizo un esfuerzo por avanzar con rapidez, pero se tuvo que sentar jadeando, y lo dejaron atrás, para que fuera más despacio, mientras Bagheera se adelantaba con ese paso ágil que tienen las panteras. Kaa no hablaba, pero por mucho que Bagheera se esforzara, la enorme Serpiente Pitón de la Roca mantenía el mismo ritmo que ella. Al llegar a un riachuelo Bagheera sacó ventaja, porque saltó por encima mientras que Kaa pasó a nado, con la cabeza y medio metro del cuello fuera del agua, pero sobre tierra firme, la serpiente recuperó lo perdido.

—Por la Cerradura Rota que me liberó —dijo Bagheera al llegar el crepúsculo—. ¡Sí que vais rápido!

—Tengo hambre —dijo Kaa—. Además, me han llamado rana con lunares.

—Lombriz... lombriz de tierra, y encima, amarilla.

—Igual de grave. Sigamos. —Y dio la sensación de que Kaa se derramaba por el suelo al pegarse a él, buscando con la mirada fija el camino más corto y siguiéndolo sin apartarse.

Ya en las Guaridas Frías, los monos no se habían vuelto a acordar de los amigos de Mowgli. Habían traído al chico a la Ciudad Perdida, y de momento, estaban muy satisfechos consigo mismos. Era la primera vez que Mowgli veía una ciudad india, y, aunque ésta era poco más que un montón de ruinas, le pareció maravillosa y espléndida. Hacía mucho tiempo, un rey la había mandado construir sobre una colina. Aún se adivinaban las calzadas de piedra que llevaban a las puertas derruidas, cuyas últimas astillas colgaban de unos goznes gastados y oxidados. Los árboles crecían entre las paredes; las almenas estaban caídas y deterioradas y de sus ventanas colgaban enredaderas que cubrían la pared en espesos racimos.

La colina estaba coronada por un palacio enorme que no tenía tejado, cuyos patios y fuentes de mármol estaban resquebrajados y llenos de manchas rojas y verdes; había hierba y árboles jóvenes incluso en el patio en que habían vivido los elefantes del rey, donde las piedras del suelo estaban levantadas y separadas. Desde el palacio se veían filas y filas de casas sin tejado, que habían constituido la ciudad y ahora parecían colmenas llenas de oscuridad; el bloque de piedra informe que había sido un ídolo, en la plaza donde desembocaban cuatro calles; los hoyos y agujeros en las esquinas donde habían estado los pozos públicos, y las cúpulas resquebrajadas de los templos, a cuyos lados crecían higueras silvestres. Los monos llamaban a aquel sitio su ciudad y fingían despreciar a los del Pueblo de la Selva por vivir en el bosque. Aun así, jamás supieron para qué se habían construido aquellos edificios, ni cómo utilizarlos. Se sentaban en círculos en la antecámara de la sala del Consejo del rey, rascándose en busca de pulgas y fingiendo ser hombres; o salían y entraban corriendo de aquellas casas sin techo, almacenando trozos de yeso y ladrillos viejos en algún rincón, para olvidarse luego del sitio donde los habían escondido y empezar a pelearse y gritar, formando bandos revoltosos, y al momento siguiente ya estaban jugando en las terrazas del jardín del rey, donde se entretenían sacudiendo los rosales y los naranjos para ver caer los frutos y flores. Exploraban todos los pasillos y túneles oscuros del palacio, los centenares de salas sombrías, pero nunca recordaban lo que habían visto y lo que no; y así deambulaban de uno en uno, de dos en dos, o en grupo, contándose unos a otros que se estaban comportando como lo hacían los hombres. Bebían en las cisternas y llenaban el agua de tierra, y luego se peleaban por ello, corriendo todos juntos y gritando: «No hay nadie en la Selva tan sabio, tan bueno, tan listo, tan fuerte y tan noble como los *bandar-log*». Entonces volvían a empezar y, cuando se hartaban de la ciudad, regresaban a las copas de los árboles, con la esperanza de que el Pueblo de la Selva se fijara en ellos.

A Mowgli, que había sido educado conforme a la Ley de la Selva, no le gustaba este estilo de vida, ni lo entendía. Había

llegado a las Guaridas Frías, a última hora de la tarde, llevado a rastras por los monos, y éstos, en vez de ponerse a dormir como hubiera hecho Mowgli después de un viaje tan largo, se cogieron de las manos y se dedicaron a bailar y a cantar sus canciones absurdas. Uno de los monos hizo un discurso y dijo a sus compañeros que la captura de Mowgli marcaba algo nuevo en la historia de los *bandar-log*, ya que iba a enseñarles a entretejer palos y cañas para protegerse de la lluvia y el frío. Mowgli cogió unas enredaderas y se puso a entrelazarlas, y los monos empezaron a imitarlo; pero al cabo de muy pocos minutos perdieron el interés y se dedicaron a dar tirones de cola a sus vecinos o a saltar, cayendo a cuatro patas, y tosiendo.

—Deseo comer —dijo Mowgli —. Soy ajeno a esta parte de la Selva. Traedme comida, o dadme permiso para cazar aquí.

Veinte o treinta monos se alejaron dando saltos, con la idea de traerle nueces y papayas silvestres, pero se enzarzaron en una pelea en el camino, y después les dio demasiada pereza volver con lo que había quedado de la fruta. Mowgli estaba magullado y furioso, además de hambriento, y se paseó por la ciudad vacía, gritando la Llamada del Cazador Forastero de vez en cuando, pero no le contestó nadie, y empezó a pensar que aquello era todo menos un buen sitio. «Todo lo que me había dicho Baloo sobre los *bandar-log* es verdad —se dijo a sí mismo— no tienen Ley, ni Llamada del Cazador, ni jefes..., nada más que palabras absurdas y unas manos pequeñas, inquietas y ladronas. Está claro que si me muero de hambre estando aquí, o si me matan, la culpa será totalmente mía. Pero tengo que intentar volver a mi propia Selva. Baloo me pegará seguramente, pero será mejor que hacer el tonto persiguiendo pétalos de rosa con los *bandar-log*».

En cuanto llegó a la muralla de la ciudad los monos se lo llevaron de allí a rastras, diciéndole que no se daba cuenta de la suerte que había tenido, y pellizcándolo para que estuviera agradecido con ellos. Mowgli apretó los dientes y no dijo nada; se dejó llevar por aquellos monos ruidosos a una terraza que había encima de los depósitos de arenisca roja, los cuales estaban llenos hasta la mitad gracias al agua de las lluvias. En el centro de la terraza había un cenador de mármol blanco, en mal estado, construido para reinas que habían muerto cien años antes. El techo, en forma de cúpula, estaba medio desplomado y obstruía el pasadizo subterráneo por el que entraban las reinas desde el palacio; pero las paredes consistían en unas rejillas hechas de tracerías de mármol; eran unas grecas bellísimas, blancas como la leche, con incrustaciones de ágata, cornalina, jaspe y lapislázuli; y cuando la luna apareció por encima de la colina, brilló a través de los calados, proyectando sobre el suelo sombras que eran como un bordado de terciopelo negro. Aunque estaba dolorido, cansado y hambriento, a Mowgli le entró la risa cuando veinte de los *bandar-log*, todos a la vez, empezaron a decirle lo admirables, sabios, fuertes y nobles que eran, y lo loco que estaba él por intentar separarse de ellos.

—Somos admirables. Somos libres. Somos maravillosos. ¡Somos el pueblo más maravilloso de la Selva! Todos lo decimos, así que debe ser verdad —gritaban—. Y ahora, como es la primera vez que nos escucháis y podéis llevar nuestras palabras al Pueblo de la Selva para que se fijen en nosotros de ahora en adelante, os vamos a contar todo lo referente a nosotros, unos seres excelentísimos.

Mowgli no puso ninguna objeción, con lo que centenares y centenares de monos se reunieron en la terraza para escuchar a sus propios oradores cantando las alabanzas de los *bandar-log*, y cuando uno de ellos dejaba de hablar para tomar aliento, gritaban todos juntos: «Es verdad. Todos lo decimos». Mowgli asentía con la cabeza, parpadeaba, decía que sí cuando le hacían alguna pregunta, y estaba mareado de oír tanto ruido. «Tabaqui, el chacal, les debe de haber mordido —se dijo a sí mismo —y se han vuelto todos locos. No hay duda de que esto es *dewanee*, la locura. ¿No dormirán nunca? Ahí viene una nube que va a tapar la luna. Si la nube fuera suficientemente grande, podría intentar escaparme en la oscuridad. Pero estoy cansado».

Esa misma nube la estaban observando dos buenos amigos desde el foso medio derruido que había bajo la muralla de la ciudad, porque Bagheera y Kaa, sabiendo bien lo peligroso que era el Pueblo de los Monos en grupos numerosos, no querían correr ningún riesgo. Los monos nunca luchan si no son cien contra uno, y hay pocos en la Selva que acepten esa disparidad.

—Yo iré a la muralla occidental —susurró Kaa— y descenderé rápidamente, con la inclinación del terreno a mi favor. Por muchos que sean, a mí no se atreven a atacarme, aunque...

—Ya lo sé —dijo Bagheera—. Ojalá estuviera aquí Baloo; pero hay que hacer lo que se pueda. Cuando esa nube cubra la luna, yo iré a la terraza. Están celebrando una especie de consejo sobre el chico.

—Buena caza —dijo Kaa con determinación, deslizándose hacia la pared occidental.

Daba la casualidad de que aquélla era la que estaba menos destrozada y la gran serpiente perdió algo de tiempo buscando un sitio para subir entre las piedras. La nube ocultó la luna y mientras Mowgli se preguntaba qué sería lo siguiente, oyó las suaves pisadas de Bagheera en la terraza. La pantera negra había subido la cuesta a toda velocidad, sin hacer un ruido, y estaba dando golpes (ya que sabía que morder era perder el tiempo) a diestro y siniestro entre los monos, que estaban sentados alrededor de Mowgli en círculos de cincuenta y sesenta de profundidad. Se oyó un aullido general de miedo y de rabia, y entonces, al tropezar Bagheera con los cuerpos que rodaban y pataleaban debajo de ella, uno de los monos gritó: «¡No es más que uno! ¿Lo matamos? ¡Matadlo!».

Una masa alborotada de monos, mordiendo, arañando, rasgando y empujando, se cerró en torno a Bagheera, mientras cinco o seis se apoderaban de Mowgli, lo subían a rastras por la pared del cenador y lo metían a empujones por el agujero de la cúpula rota. Un chico educado entre los hombres se hubiera magullado seriamente, ya que la caída era desde una altura de más de cuatro metros, pero Mowgli cayó como le había enseñado Baloo, y aterrizó de pie.

—Quedaos aquí —gritaron los monos— hasta que hayamos matado a vuestros amigos y luego jugaremos con vos, si el Pueblo del Veneno os deja con vida.

—Vos y yo somos de la misma sangre —dijo Mowgli, pronunciando rápidamente la Llamada de las Serpientes. Estaba oyendo a su alrededor roces y siseos entre los escombros y emitió la Llamada por segunda vez, para asegurarse.

—¡Cierto esss! ¡Abajo capuchas! —dijeron media docena de voces suaves (todas las ruinas de la India acaban convirtiéndose, tarde o temprano, en morada de serpientes, y el viejo cenador estaba plagado de cobras)—. No os mováis, Hermanito, pues vuestros pies nos pueden dañar.

Mowgli se quedó todo lo quieto que pudo, mirando por los agujeros de los calados y escuchando el alboroto enfurecido de la pelea en torno a la pantera negra, los aullidos, parloteos y forcejeos, la tos ronca y profunda de Bagheera mientras retrocedía, avanzaba, se retorcía o se sumergía bajo las manos de sus enemigos. Por primera vez desde el día de su nacimiento, Bagheera estaba luchando por conservar la vida.

«Baloo tiene que estar cerca de aquí, Bagheera no se hubiera atrevido a venir sola —pensó Mowgli; después dijo en voz alta—: ¡A la cisterna, Bagheera! Acércate al depósito de agua. ¡Ve y sumérgete! ¡Tienes que llegar al agua!

Bagheera le oyó, y aquel grito de Mowgli, señal de que estaba a salvo, le dio ánimos. Se fue abriendo camino desesperadamente, palmo a palmo, en dirección a los tanques, repartiendo golpes en silencio. En aquel momento, desde la pared derruida más cercana a la Selva se elevó el atronador grito de guerra de Baloo. El oso, ya viejo, había hecho todo lo posible, pero no había conseguido llegar antes.

—Bagheera —gritó—, aquí estoy. ¡Estoy trepando! ¡Procuro apresurarme! ¡Ahuwora! ¡Las piedras resbalan bajo mis pies! ¡Esperad mi llegada, ah, infames *bandar-log*!

Subió jadeando hasta la terraza y se vio inmediatamente cubierto de monos hasta la cabeza, pero, levantándose sobre las patas traseras y abriendo las delanteras, agarró al mayor número posible de ellos y empezó a golpearlos con un bat-bat-bat regular, parecido al chapoteo de una rueda hidráulica. Al oír un ruido fuerte y luego el sonido de algo cayendo al agua, Mowgli supo que Bagheera había logrado abrirse paso hasta la cisterna, donde los monos no podrían perseguirla. La pantera, con la cabeza fuera del agua, estaba intentando recuperar el aliento, mientras los monos se apiñaban sobre los escalones rojos, en tres filas alargadas, dando saltos de furia y dispuestos a saltar encima de ella desde todos los lados si intentaba salir a ayudar a Baloo. Fue entonces cuando Bagheera levantó la barbilla empapada y, buscando desesperadamente protección, emitió la Llamada de las Serpientes («Vos y yo somos de la misma sangre»), pues creía que Kaa se había echado para atrás en el último momento. Incluso a Baloo, medio aplastado bajo los monos al borde de la terraza, se le escapó una risita al oír a la pantera negra pidiendo ayuda.

Kaa acababa de conseguir pasar por encima de la muralla occidental, cayendo con una sacudida que había desprendido una de las piedras de albardilla, tirándola al foso. No tenía ninguna intención de desperdiciar las ventajas del terreno, por lo cual se enroscó y desenroscó varias veces para asegurarse de que cada palmo de su cuerpo estaba en perfecto funcionamiento. Mientras tanto la lucha contra Baloo continuaba, los monos aullaban alrededor de la cisterna donde estaba Bagheera, y Mang, el murciélago, volando de un lado a otro, esparcía noticias de la gran batalla por toda la Selva, hasta que incluso Hathi, el elefante salvaje, soltó un bramido; y a mucha distancia, grupos dispersos de parientes de los monos se despertaron y emprendieron la marcha, saltando por los caminos de los árboles, para ayudar a sus camaradas en las Guaridas Frías, y el ruido de la pelea alertó a todos los pájaros diurnos en un radio de varios kilómetros. Entonces Kaa atacó con decisión y rapidez, ansiosa de matar. El arma fundamental de una serpiente pitón consiste en los golpes brutales que da con la cabeza, apoyada por la fuerza y el peso de su cuerpo. Si lográis imaginaros una lanza, un ariete o un martillo que pese casi media tonelada, manejado por una mente fría y tranquila, alojada en su mango o asta, tendréis una idea aproximada de cómo era Kaa cuando luchaba. Una pitón que mida un metro y medio puede derribar a un hombre si le da un golpe frontal en el pecho, y Kaa medía nueve metros, como bien sabéis. Su primer golpe dio de lleno en el centro de la masa que rodeaba a Baloo; lo descargó con la boca cerrada, silenciosamente, y no hizo falta insistir más. Los monos se desperdigaron, gritando: «¡Kaa! ¡Es Kaa! ¡Corred! ¡Corred!

Los monos, de generación en generación, habían aprendido a temer y respetar a Kaa debido a las historias que les contaban los mayores sobre ella, la ladrona nocturna que se deslizaba sobre las ramas con el mismo silencio con que crece el musgo, o se llevaba al mono más fuerte del mundo; la vieja Kaa, que cuando quería lograba parecerse tanto a una rama seca o a un tronco podrido, que engañaba incluso a los más hábiles, hasta que la rama los atrapaba. Kaa representaba para los monos todo lo temible que había en la Selva, puesto que ninguno de ellos sabía hasta dónde llegaban los límites de su poder. Ninguno de ellos era capaz de mirarla a la cara, y ninguno había logrado salir con vida de entre sus anillos. Por eso salieron corriendo, tartamudeando de terror, hacia las paredes y tejados de las casas, y Baloo suspiró aliviado. Su piel era mucho más gruesa que la de Bagheera, pero había salido mal parado de la pelea. Entonces Kaa abrió la boca por primera vez y soltó una palabra larga y silbante, y los monos que desde lejos se estaban acercando rápidamente para defender las Guaridas Frías, se quedaron donde estaban, acobardados, hasta que las ramas sobrecargadas empezaron a crujir y doblarse bajo su peso. Los que estaban encima de las paredes y dentro de las casas vacías dejaron de aullar, y en medio del silencio que había envuelto la ciudad, Mowgli oyó a Bagheera sacudiéndose el agua de los flancos al salir de la cisterna. En ese momento, volvió a estallar el mismo alboroto de antes. Los monos treparon por las murallas, subiendo más alto todavía; se agarraban al cuello de los grandes ídolos de piedra y daban alaridos al saltar de almena en almena, mientras Mowgli, bailando dentro del cenador, pegaba la cara a las paredes labradas y chillaba como un búho para demostrar su sorna y su desprecio.

—Sacad al cachorro de hombre de esa trampa; yo no puedo más —dijo Bagheera, jadeando—. Cojamos al cachorro de hombre y vayámonos. Puede que ataquen de nuevo.

—No se moverán hasta que yo se lo ordene. ¡Quietos! ¡Asssí! —siseó Kaa, y la ciudad volvió a quedar en silencio—. No he podido venir antes, Hermana, pero me ha parecido oíros llamar —añadió, dirigiéndose a Bagheera.

—Es..., es posible que haya gritado en mitad de la pelea —contestó Bagheera—. Baloo, ¿estáis herido?

—No estoy muy seguro de que no me hayan convertido en un centenar de oseznos diminutos, con todos los tirones que me han dado —dijo Baloo con mucha seriedad, sacudiendo una pierna y después la otra—. ¡Vaya! Me duele todo el cuerpo. Kaa, creo que Bagheera y yo os debemos la vida.

—No importa. ¿Dónde está el Hombrecillo?

—Aquí, es una trampa. No puedo salir trepando —gritó Mowgli. La curva de la cúpula rota estaba sobre su cabeza.

—Lleváoslo. Baila como Mao, el pavo real. Va a aplastar a nuestras crías —dijeron las cobras desde dentro.

—¡Ja! —dijo Kaa, soltando una carcajada—. Este Hombrecillo tiene amigos por todas partes. Echaos hacia atrás, Hombrecillo, y escondeos, Pueblo del Veneno. Voy a tirar la pared.

Kaa observó la tracería de mármol detenidamente, hasta que encontró una grieta descolorida donde había un punto más débil; le dio dos o tres golpecitos con la cabeza para calcular bien la distancia, y entonces, levantando del suelo por completo unos dos metros de su cuerpo, dio media docena de golpes demoledores, con su máxima potencia y con la nariz por delante. El calado se rompió y resquebrajó, dejando una nube de polvo y escombros, y Mowgli salió de un brinco por el boquete, se abalanzó sobre Baloo y Bagheera y quedó colgado entre ambos enlazando el cuello de cada uno.

—¿Estáis herido? —dijo Baloo, y lo abrazó cariñosamente.

—Estoy dolorido, hambriento, y con bastantes cardenales. Pero ¡a vosotros sí que os han maltratado, Hermanos míos! Estáis sangrando.

—Otros también sangran —dijo Bagheera, chupándose los labios y mirando a los monos muertos que había en la terraza y alrededor de la cisterna.

—No importa, no importa si vos estáis a salvo; ah, sois mi orgullo entre las ranitas —lloriqueó Baloo.

—Ya hablaremos de eso luego —dijo Bagheera, con una sequedad que a Mowgli no le gustó nada—. Pero aquí tenéis a Kaa, a quien debemos la victoria y a quien vos debéis la vida. Dadle las gracias según nuestra costumbre, Mowgli.

Mowgli se volvió y vio la enorme cabeza de la serpiente pitón balanceándose por encima de la suya.

—Así que éste es el Hombrecillo —dijo Kaa—. Tiene la piel muy suave, y es bastante parecido a los *bandar-log*. Tened cuidado, Hombrecillo, de que no os confunda con un mono si os veo a la hora del crepúsculo y acabo de cambiar la piel.

—Vos y yo somos de la misma sangre —contestó Mowgli—. Esta noche tomo mi vida de entre vuestras manos. Mi presa será vuestra siempre que tengáis hambre, Kaa.

—Mil gracias, Hermanito —dijo Kaa, aunque sus ojos chispeaban—. ¿Y qué es lo que mata un cazador tan valiente? Ruego que se me permita seguirle la próxima vez que salga de cacería.

—No mato nada..., soy demasiado pequeño..., pero acorralo a las cabras y las conduzco hacia aquéllos que pueden hacer buen uso de ellas. Cuando estéis vacía, venid a verme y veréis si digo la verdad. Tengo cierta destreza en el manejo de éstas —y mostró sus manos— y si alguna vez caéis en una trampa, puede que consiga pagar mi deuda con vos, con Bagheera, y con Baloo, aquí presentes. Buena caza para todos vosotros, mis maestros.

—Bien dicho —gruñó Baloo, pues Mowgli había dado las gracias con mucha delicadeza.

Con mucha suavidad, la serpiente apoyó la cabeza sobre el hombro de Mowgli durante unos instantes y dijo:

—Un corazón valiente y una lengua cortés. Con ambos llegaréis muy lejos en la Selva, Hombrecillo. Pero ahora marchaos rápidamente con vuestros amigos. Id a dormir, porque la luna se está poniendo, y no está bien que veáis lo que viene ahora.

La luna se iba hundiendo tras las colinas y las filas de monos temblorosos, acurrucados junto a las murallas y almenas, parecían unos flecos andrajosos y ondulantes. Baloo bajó en dirección a la cisterna para beber y Bagheera se dedicó a alisarse la piel, que se le había quedado desordenada, mientras Kaa se deslizaba hacia el centro de la terraza, donde cerró la boca con un chasquido metálico que atrajo las miradas de todos los monos.

—La luna se está poniendo —dijo—. ¿Queda suficiente luz para ver?

Desde las murallas llegó un gemido como el del viento entre las copas de los árboles:

—Vemos, Kaa.

—Bien. Empieza ahora la Danza..., la Danza del Hambre de Kaa. Estaos quietos y mirad.

Giró dos o tres veces, formando un gran círculo, balanceando la cabeza de derecha a izquierda. Después empezó a hacer rizos y ochos con el cuerpo, y triángulos redondeados y gelatinosos que se derretían convirtiéndose en cuadrados y figuras con cinco lados, y torres hechas de anillos, sin descansar, sin apresurarse, y sin dejar de canturrear con un zumbido sordo.

Cada vez había menos luz, hasta que, al final, dejaron de verse aquellas curvas que se deslizaban y cambiaban de forma, pero aún se oía el roce de las escamas.

Baloo y Bagheera se habían quedado de piedra, gruñendo desde el interior de sus gargantas, y con los pelos del cuello erizados, y Mowgli observaba con asombro.

—*Bandar-log* —dijo la voz de Kaa finalmente—. ¿Podéis mover un pie o una mano sin que yo os lo ordene? ¡Hablad!

—Sin vuestra orden no podemos mover pie ni mano, Kaa.

—¡Bien! Dad todos un paso hacia mí.

Las filas de monos embobados se acercaron, balanceándose, y Baloo y Bagheera dieron un paso rígido junto al resto.

—¡Más cerca! —siseó Kaa, y todos se movieron de nuevo.

Mowgli puso las manos sobre Baloo y Bagheera para alejarlos, y las dos fieras enormes dieron un respingo, como si hubieran despertado de un sueño.

—Dejad vuestra mano sobre mi hombro —susurró Bagheera—. No la mováis o tendré que volver..., volver junto a Kaa. ¡Aah!

—Pero si solo es Kaa haciendo círculos en el polvo —dijo Mowgli—. Vámonos. —Y los tres huyeron por un hueco que había en las murallas en dirección a la Selva.

—¡Wuuf! —dijo Baloo al verse bajo la quietud de los árboles de nuevo—. Es la última vez que busco a Kaa como aliada.

—Sabe más que nosotros —dijo Bagheera temblando—. Si me llego a quedar un rato más, me hubiera metido directamente en su garganta.

—Muchos seguirán ese camino antes de que vuelva a salir la luna —dijo Baloo—. Va a hacer una buena caza... a su manera.

—Pero ¿qué significa todo aquello? —dijo Mowgli, que no sabía nada sobre el poder de fascinación de una serpiente pitón—. Yo no he visto más que una serpiente grande haciendo círculos absurdos hasta que ha llegado la oscuridad. Y tenía la nariz hinchada. ¡Ja, ja!

—Mowgli —dijo Bagheera, furiosa—, tenía la nariz hinchada por vuestra culpa; y yo tengo mordiscos en las orejas, los flancos y las patas, y Baloo en el cuello y los hombros, también por vuestra culpa. Ni Baloo ni Bagheera van a poder cazar a gusto durante muchos días.

—No importa —dijo Baloo—, hemos recuperado al cachorro de hombre.

—Cierto; pero nos ha costado lo nuestro (y este rato lo podíamos haber dedicado a una buena cacería) en heridas, pelo..., yo tengo la espalda medio calva..., y finalmente, en honor. Porque os recordaré, Mowgli, que yo, la pantera negra, me he visto obligada a llamar a Kaa para que me protegiera, y Baloo y yo nos hemos quedado atontados como pajarillos ante la Danza del Hambre. Todo esto, cachorro de hombre, ha ocurrido por vuestros juegos con los *bandar-log*.

—Cierto, es cierto —dijo Mowgli, apesadumbrado—. Soy un cachorro de hombre malvado y mi estómago está triste por ello.

—¡Mf! ¿Qué dice la Ley de la Selva, Baloo?

Baloo no quería meter a Mowgli en más líos, pero no podía jugar con la Ley; por tanto, murmuró:

—El arrepentimiento no libra del castigo. Pero tened en cuenta, Bagheera, que es muy pequeño.

—Lo tendré en cuenta; pero se ha portado mal, y hay que encargarse del castigo. Mowgli, ¿tenéis algo que decir?

—Nada. Hice mal. Baloo y vos estáis heridos. Es justo.

Bagheera le dio media docena de palmaditas cariñosas; desde el punto de vista de una pantera, apenas hubieran servido para despertar a uno de sus cachorros, pero para un niño de siete años, aquello era una buena paliza que cualquiera de vosotros intentaría evitar. Cuando se acabó, Mowgli estornudó y se puso de pie sin decir ni una palabra.

—Ahora —dijo Bagheera —sentaos sobre mi lomo, Hermanito, y nos iremos a casa.

Una de las bellezas de la Ley de la Selva es que el castigo salda todas las cuentas. Después, no se insiste sobre el tema.

Mowgli apoyó la cabeza sobre el lomo de Bagheera y durmió tan profundamente que ni siquiera despertó cuando lo depositaron junto a Madre Loba en la cueva que era su hogar.

Canción de los *bandar-log* al ponerse en camino

Trepando por las lianas, vamos subiendo a una.
¡Hay que ver con qué envidia nos observa la luna!
¿No os da un poco de rabia ver nuestra agilidad?
¿No quisierais tener alguna mano más?
Nuestra cola se curva como arco de Cupido.
Ya quisierais tener vos algo parecido.
Furioso estáis, como era de esperar.
Hermano, ¡vuestra cola es tan vulgar!

En la rama de un árbol nos colocamos juntos,
y a pensar nos ponemos sobre nuestros asuntos;
soñando con las gestas que vamos a emprender
dentro de unos momentos, dos minutos o tres.
Son hazañas heroicas, hechos nobles y bellos,
y tenemos bastante con meditar en ellos.
En fin, vamos a ver... ¿Y qué más da?
Hermano, ¡vuestra cola es tan vulgar!

Ahora todas las lenguas que hasta aquí hemos oído,
haya sido en la cueva, haya sido en el nido,
sean de escama o pluma, de aletas o de piel,
hablémoslas deprisa y todas a la vez.
¡Excelente! ¡Magnífico! ¡Vamos, una vez más!
Ya parecemos hombres, pues hablamos igual.
Podemos intentar... ¿Y qué más da?

Hermano, ¡vuestra cola es tan vulgar!
¡El Pueblo de los Monos y su forma de hablar!

Veníos con nosotros, venid a las alturas,
allí donde las uvas están por fin maduras.
Así todos nos oyen, así todos nos ven.
¡Son tan nobles las cosas que vamos a emprender!

¡Tigre! ¡Tigre!

—¿Qué pasa con la caza, valiente cazador?
—Hermano, la espera y el frío es lo peor.
—¿Qué pasa con la pieza que ibais a matar?
—Hermano, por la Selva aún corre en libertad.
—¿Qué pasa con la fuerza que así os enorgullece?
—Hermano, hay otros ya que me ganan con creces.
—¿Qué pasa con el ímpetu, vuestro paso veloz?
—¡Ay, hermano, la Muerte es más veloz que yo!

Retrocedamos ahora hasta el primer relato. Cuando Mowgli se fue de la cueva de los lobos, después de la pelea con la Manada en la Roca del Consejo, bajó a los campos arados donde vivían los campesinos, pero no se detuvo allí, porque estaba demasiado cerca de la Selva, y sabía que tenía más de un enemigo feroz en el Consejo. Por tanto, siguió corriendo, sin apartarse de un camino tosco que atravesaba el valle, yendo a un paso rápido y constante durante más de quince kilómetros, hasta que llegó a una zona que le era desconocida. El valle se ensanchaba allí, convirtiéndose en una gran llanura moteada de rocas e interrumpida por barrancos. En un extremo había una aldea pequeña y en el otro la jungla espesa bajaba hasta los pastos, deteniéndose allí como si la hubieran cortado con una azada. Por toda la llanura había ganado y búfalos paciendo, y cuando los niños que cuidaban los rebaños vieron a Mowgli, gritaron y salieron corriendo, y los parias, unos perros amarillos que vagabundean alrededor de todas las aldeas indias, empezaron a ladrar. Mowgli siguió andando, porque se sentía hambriento, y al llegar a la puerta de la aldea vio que el gran arbusto lleno de pinchos que colocaban frente a la entrada al anochecer estaba corrido hacia un lado.

—¡Umf! —dijo, pues no era la primera vez que se encontraba con una barricada como aquélla en sus correrías nocturnas al ir buscando algo que comer—. Entonces, la gente de aquí también tiene miedo al Pueblo de la Selva.

Se sentó junto a la puerta, y al ver salir a un hombre se levantó, abrió la boca, y señaló hacia el interior de ella, para explicar que quería comida. El hombre lo miró atónito, se dio la vuelta, y echó a correr por la única calle del pueblo, llamando a gritos al sacerdote, que era un hombre grande y gordo, vestido de blanco, con una marca amarilla y roja en la frente. El sacerdote se acercó a la entrada, y junto a él venían por lo menos un centenar de personas, que miraban, hablaban, gritaban, y señalaban a Mowgli.

«Qué maleducados son los del Pueblo de los Hombres —se dijo Mowgli—. Solo un mono gris sería capaz de comportarse así». Por tanto, sacudió la cabeza para apartar la melena, e hizo una mueca a aquella gente.

—¿De qué tenéis miedo? —dijo el sacerdote—. Mirad las señales que tiene en los brazos y piernas. Son mordiscos de lobo. No es más que un niño-lobo que ha huido de la Selva.

Evidentemente, al jugar juntos, los lobeznos habían dado a Mowgli más de un mordisco fuerte sin darse cuenta, y tenía los brazos y piernas llenos de cicatrices blancas. Pero a él jamás se le hubiera ocurrido llamarlos mordiscos, porque sabía muy bien lo que era morder de verdad.

—¡Arré! ¡Arré! —dijeron dos o tres mujeres al mismo tiempo—. ¡Mordiscos de lobo, pobrecillo! Es un niño muy guapo. Sus ojos parecen dos brasas. Os juro por mi honor, Messua, que me recuerda a vuestro chico, el que se llevó el tigre.

—Dejadme mirarlo bien —dijo una mujer que llevaba pesados aros de cobre en las muñecas y tobillos, y observó a Mowgli, quitándose la luz con la palma de la mano—. Pues sí que se parece. Está más delgado, pero tiene el mismo aspecto que mi chico.

El sacerdote era un hombre listo, y sabía que Messua era la esposa del campesino más rico de la aldea. Por tanto, levantó la vista hacia el cielo durante unos instantes, y dijo solemnemente:

—Lo que la Selva se llevó, la Selva lo ha devuelto. Llevad al niño a vuestra casa, hermana mía, y no os olvidéis de honrar al sacerdote, que tiene una percepción tan clara de las vidas de los hombres.

«Por el Toro que me compró —se dijo Mowgli—, toda esta charla es igual que la inspección que me hizo la Manada. En fin, si soy un hombre, tendré que convertirme en un hombre».

El grupo se disolvió y la mujer hizo señas a Mowgli para que la siguiera a su choza, donde había una cama barnizada de color rojo, un cofre grande de barro cocido, para guardar el grano, adornado con relieves curiosos, media docena de ollas de cobre, una imagen de un dios hindú, metida en un pequeño nicho, y en la pared, un espejo de verdad, como los que venden en las ferias campestres.

La mujer le dio un buen trago de leche y un poco de pan, luego le puso la mano encima de la cabeza, lo miró a los ojos e intentó adivinar si sería realmente su hijo, que había vuelto de la Selva donde lo había llevado el tigre. Entonces dijo:

—¡Nathoo, ay, Nathoo!

Mowgli no dio ninguna muestra de conocer aquel nombre.

—¿No recordáis el día en que os regalé unos zapatos nuevos?

Le tocó un pie, y le pareció casi tan duro como un cuerno.

—No —dijo, apesadumbrada—, estos pies nunca han llevado zapatos, pero sois muy parecido a mi Nathoo, y seréis mi hijo.

Mowgli estaba nervioso, porque era la primera vez que estaba bajo techo; pero al fijarse en el cáñamo con que estaba hecho, se dio cuenta de que podría arrancarlo fácilmente si quería escapar, y de que la ventana no tenía pestillos.

«¿De qué sirve ser hombre —se dijo finalmente —sin conocer el habla de los hombres? Ahora soy igual de tonto y mudo que un hombre que estuviera en la Selva, entre nosotros. Tengo que aprender su habla».

Cuando estaba con los lobos, había aprendido a imitar el grito de desafío de los gamos en la Selva y el gruñido del jabato, cosa que no había hecho por divertirse. Por tanto, en cuanto Messua pronunciaba una palabra, Mowgli la imitaba casi perfectamente, y antes de que anocheciera había aprendido los nombres de muchas cosas de las que había en la choza.

Surgió una dificultad a la hora de acostarse, porque Mowgli no quería dormir bajo aquello que se parecía tanto a una trampa para panteras, y en cuanto cerraron la puerta salió por la ventana.

—Dejadle que haga su voluntad —dijo el marido de Messua—. Tened en cuenta que no ha podido dormir en una cama hasta ahora. Si es cierto que ha sido enviado en lugar de nuestro hijo, no escapará. Con lo cual Mowgli se tumbó sobre una hierba alta y limpia, junto al borde de la llanura, pero antes de que hubiera cerrado los ojos, una suave nariz gris le tocó bajo la barbilla.

—¡Puf! —dijo Hermano Gris (era el mayor de los cachorros de Madre Loba)—. Vaya una recompensa por haberos seguido durante quince kilómetros. Oléis a humo de leña y a ganado... Ya estáis hecho todo un hombre. Despertad, Hermanito, traigo noticias.

—¿Están todos bien en la Selva? —dijo Mowgli, y lo abrazó.

—Todos menos los lobos que se quemaron con la Flor Roja. Y ahora, escuchad. Shere Khan se ha marchado a cazar lejos hasta que le vuelva a crecer el pelo, pues está muy chamuscado. Jura que cuando vuelva dejará vuestros huesos en el Waingunga.

—Hay dos versiones de eso. Yo también he hecho una pequeña promesa. Pero siempre está bien tener noticias. Estoy cansado esta noche..., muy cansado con tantas cosas nuevas, Hermano Gris, pero traedme siempre las noticias que haya.

—¿No olvidaréis que sois un lobo? ¿Los hombres no os harán olvidar? —dijo Hermano Gris con preocupación.

—Nunca. Siempre recordaré que os quiero, a vos y a todos los de nuestra cueva; pero tampoco olvidaré jamás que he sido expulsado de la Manada.

—Y que es posible que os expulsen de otra manada. Los hombres no son más que hombres, Hermanito, y su habla es como la de las ranas en una charca. Cuando vuelva por aquí, os esperaré entre los bambúes, al borde de los pastos.

Después de aquella noche, Mowgli estuvo tres meses sin alejarse apenas de la entrada de la aldea; estaba muy ocupado aprendiendo los usos y costumbres de los hombres. Para empezar tuvo que ponerse un trozo de tela alrededor del cuerpo, cosa que le molestaba horriblemente; después tuvo que enterarse de lo que era el dinero, que no comprendía en absoluto; y aprender a arar, lo cual le parecía inútil. Además, los niños pequeños de la aldea lo ponían furioso. Afortunadamente, la Ley de la Selva le había enseñado a dominar sus nervios, porque allí la vida y la alimentación dependen de ello; pero cuando se reían de él porque no participaba en los juegos ni volaba cometas, o porque pronunciaba mal alguna palabra, solo el convencimiento de que matar cachorros desnudos no es digno de un buen cazador hacía que se resistiera a cogerlos y partirlos en dos.

No era consciente de su propia fuerza. En la Selva sabía que era débil comparado con las fieras, pero en la aldea la gente decía que tenía la fuerza de un toro.

Y no tenía ni la más remota idea de las diferencias que establecen las castas entre unos hombres y otros. Cuando el burro del alfarero se metió en el barrizal, Mowgli lo sacó agarrándolo por la cola, y ayudó al hombre a cargar los pucheros para el viaje al mercado de Khanhiwara. Aquello fue inaudito, ya que el alfarero es un hombre de casta inferior, y su burro peor todavía. Cuando el sacerdote lo regañó, Mowgli amenazó con montarlo a él en el burro también, y el sacerdote dijo al marido de Messua que más valía que pusiera al chico a trabajar cuanto antes; el jefe de la aldea dijo a Mowgli que saliera con los búfalos al día siguiente, a cuidarlos mientras pastaban. Mowgli fue el que más contento se puso con aquello; y aquella noche, basándose en que ya lo consideraban un trabajador de la aldea, se dirigió a reunirse con un grupo que se formaba todas las noches en una explanada de ladrillos bajo una higuera enorme. Era la tertulia de la aldea, en la que el jefe, el vigilante, el barbero (que estaba al tanto de todos los cotilleos), y el viejo Buldeo, el cazador de la aldea, que tenía un mosquete Tower, se reunían y fumaban. Los monos se sentaban a hablar en las ramas más altas, y la explanada tenía un agujero en el que vivía una cobra, y ésta recibía un cuenco de leche todas las noches, puesto que era sagrada; los viejos se sentaban alrededor del árbol y hablaban, aspirando sus enormes *hukkas* (pipas de agua) hasta bien entrada la noche. Contaban historias maravillosas sobre dioses, hombres y fantasmas; las que contaba Buldeo sobre las costumbres de las fieras de la Selva eran más maravillosas aún, y a los niños que se sentaban fuera del círculo se les salían los ojos de las órbitas. La mayoría de aquellos relatos eran sobre animales, puesto que aquella gente vivía con la Selva a sus puertas. Los ciervos y los jabalíes les destrozaban las cosechas y, de vez en cuando, un tigre se llevaba a algún hombre a la hora del crepúsculo, ante la mismísima entrada de la aldea.

Mowgli que, lógicamente, sabía bastante del tema que estaban tratando, tenía que taparse la cara para que no lo vieran reírse, mientras Buldeo, con el mosquete Tower sobre las rodillas, pasaba de una historia maravillosa a otra, y al chico le temblaban los hombros del esfuerzo que hacía para contenerse.

Buldeo estaba explicando que el tigre que se había llevado al hijo de Messua era un tigre-fantasma, en cuyo cuerpo habitaba el espíritu de un prestamista viejo y malvado que había muerto hacía algunos años.

—Y sé que esto es cierto —decía— porque Purun Dass siempre cojeó después de un golpe que le dieron en un tumulto cuando quemaron sus libros de cuentas, y el tigre del que hablo también cojea, porque las huellas de sus pisadas son desiguales.

—Cierto, cierto; esa debe de ser la explicación —dijeron los ancianos, asintiendo con la cabeza.

—¿Todas vuestras historias son tan enmarañadas y absurdas? —dijo Mowgli—. Ese tigre cojea porque nació cojo, como todo el mundo sabe. Decir que el alma de un prestamista se ha metido dentro de una fiera que siempre tuvo menos valor que un chacal, es decir niñerías.

De la sorpresa, Buldeo se quedó unos instantes sin saber qué decir, y el jefe abrió mucho los ojos.

—¡Ja! Es el mocoso de la Selva, ¿verdad? —dijo Buldeo—. Si sois tan sabio, mejor que traigáis su piel a Khanhiwara, ya que el Gobierno ha ofrecido cien rupias por él. Mejor aún, no habléis cuando lo estén haciendo vuestros mayores.

Mowgli se levantó para irse.

—Llevo aquí toda la noche escuchando —dijo por encima del hombro, al alejarse—, y excepto una o dos veces, Buldeo no ha dicho ni una palabra de verdad sobre la Selva que tiene ante su propia puerta. ¿Cómo, entonces, voy a creer las historias de fantasmas, dioses y duendes que dice haber visto?

—Ya va siendo hora de que ese chico salga a cuidar el ganado —dijo el jefe mientras Buldeo bufaba y resoplaba ante la impertinencia de Mowgli.

La mayoría de los pueblos indios tienen la costumbre de mandar fuera a unos cuantos chicos, por la mañana temprano, para que lleven a pastar el ganado y los búfalos, y los vuelvan a traer por la noche; y los mismos animales que podrían pisotear a un hombre blanco hasta matarlo se dejan apalear, amedrentar e insultar por unos niños que no les llegan apenas a los hocicos.

Mientras los niños no se separen del rebaño estarán a salvo, porque ni siquiera un tigre se atreve a atacar a una manada de ganado. Pero si se quedan rezagados, para coger flores o buscar lagartijas, a veces un animal se los lleva. Mowgli pasó por la calle de la aldea al amanecer, sentado en el lomo de Rama, el gran toro del rebaño; y los búfalos de color azul pizarroso, con sus largos cuernos que descendían hacia atrás y sus ojos de aspecto feroz, salieron de sus establos, uno a uno, siguiéndolo, y Mowgli dejó muy claro a los niños que iban con él quién era el amo allí. Pegó a los búfalos con una caña de bambú alargada y brillante, y dijo a Kamya, uno de los niños, que se quedaran ellos cuidando el ganado mientras él se adelantaba con los búfalos, y que tuvieran mucho cuidado de no alejarse del rebaño.

Los pastos indios están llenos de rocas, matojos, penachos y barrancos por entre los cuales los rebaños se disgregan y desaparecen. Los búfalos suelen quedarse cerca de las lagunas y los lodazales, donde se revuelcan y toman el sol durante horas. Mowgli los llevó al borde de la llanura, donde el río Waingunga salía de la Selva; entonces, bajándose del cuello de Rama de un salto, corrió hacia unos bambúes y se encontró con Hermano Gris.

—¡Ah! —dijo Hermano Gris—. Llevo muchísimos días esperando aquí. ¿Se puede saber qué hacéis cuidando ganado?

—Es una orden —dijo Mowgli—. Soy pastor de la aldea, de momento. ¿Traéis noticias de Shere Khan?

—Ha vuelto a este territorio, y os ha esperado durante mucho tiempo. Ahora se ha marchado de nuevo, ya que la caza escasea. Pero piensa mataros.

—Muy bien —dijo Mowgli—. Mientras yo esté fuera, vos o uno de los cuatro hermanos, haced el favor de sentaros en esa roca, de forma que pueda veros al salir de la aldea. Cuando vuelva, esperadme en la hondonada que hay junto al árbol *dhak*, en el centro de la llanura. No hay ninguna necesidad de meternos directamente en la boca de Shere Khan.

Después de esto, Mowgli buscó un sitio que estuviera a la sombra, y se tumbó a dormir mientras los búfalos pastaban a su alrededor. El pastoreo, en la India, es una de las labores más perezosas del mundo. El ganado avanza, rumia, se tumba, y vuelve a ponerse en movimiento; ni siquiera muge. Las vacas solo gruñen, y los búfalos casi nunca dicen nada, sino que se meten en los lodazales uno tras otro, y se van hundiendo en el barro lentamente, hasta que no se ve sobre la superficie más que el hocico y los ojos de azul porcelanoso fijos en algún lugar, y ahí se quedan, como leños. El calor del sol hace que las rocas bailen y los niños-pastores oyen el silbido de un milano (nunca más de uno) que casi no se ve desde abajo, y saben que, si murieran ellos o una de las vacas, ese milano volaría hacia abajo, y el siguiente a kilómetros de distancia, lo vería descender y lo seguiría, y el siguiente y el siguiente, e incluso antes de que hubieran muerto, aparecería una veintena de milanos hambrientos, como si hubieran salido de la nada. Después de esto, duermen, despiertan, y vuelven a dormir, y hacen cestitas de hierba y meten saltamontes dentro; o cogen dos mantis religiosas y consiguen que se peleen; o fabrican un collar con nueces de la Selva, rojas y negras; o se ponen a mirar una lagartija tomando el sol sobre una roca, o una serpiente cazando una rana en los lodazales. Luego cantan canciones largas, larguísimas, que terminan con extraños quiebros, típicos del país, y el día parece más largo que la vida de cualquier persona, y quizá hagan un castillo de barro, con figuras de hombres, caballos y búfalos de barro, poniendo junquillos en las manos de los hombres, imaginándose que son reyes y que el resto de las figuras son sus ejércitos, o que son dioses que deben adorar. Después llega la noche y los niños gritan, y los búfalos salen lentamente del barro pegajoso, uno tras otro, haciendo ruidos que parecen tiros, y todos juntos cruzan la llanura gris, avanzando en fila hacia las luces parpadeantes de la aldea.

Día tras día Mowgli llevaba a los búfalos a sus lodazales, y día tras día divisaba el lomo del Hermano Gris a dos kilómetros de distancia, al otro lado de la llanura (con lo cual sabía que Shere Khan no había vuelto), y día tras día se tumbaba en la hierba, escuchaba los ruidos de su alrededor y soñaba con la vida que hacía antes, en la Selva. Si Shere Khan hubiera dado un paso en falso con su pata coja en los bosques altos que rodean al Waingunga, Mowgli lo hubiera oído en una de aquellas mañanas tan largas y silenciosas. Finalmente, llegó un día en que no vio al Hermano Gris en el sitio convenido, y soltó una carcajada, mientras dirigía a los búfalos hacia la hondonada junto al árbol *dhak*, que estaba cubierto de flores de color rojo dorado. Allí estaba el Hermano Gris, con todos los pelos del lomo erizados.

—Ha estado escondido durante un mes para despistaros. Anoche cruzó las colinas junto a Tabaqui, siguiendo vuestra pista apresuradamente —dijo el lobo, jadeando.

Mowgli hizo una mueca, preocupado.

—No temo a Shere Khan, pero Tabaqui es muy astuto.

—No tengáis miedo —dijo el Hermano Gris, relamiéndose un poco—. Me he encontrado con Tabaqui al amanecer. Ahora está contándole todo lo que sabe a los milanos, pero también me lo ha contado a mí, antes de que le partiera el espinazo. Shere Khan piensa esperaros en la entrada de la aldea esta noche... a vos, y a nadie más. Ahora está tumbado en esa gran hondonada seca del Waingunga.

—¿Ha comido hoy, o caza vacío? —dijo Mowgli, pues la respuesta era una cuestión de vida o muerte para él.

—Ha matado al amanecer... un jabalí... y ha bebido también. Tened en cuenta que Shere Khan nunca fue capaz de ayunar, ni siquiera con motivo de una venganza.

—¡Ah! ¡Qué imbécil! ¡Qué imbécil! ¡Parece un cachorro de cachorro! ¡Comido, y bebido también, y cree que yo voy a esperar a que haya dormido! ¿Dónde decíais que está tumbado? Con diez que fuéramos, podríamos arrastrarlo tumbado. Estos búfalos no cargarán contra él a no ser que huelan su rastro, y yo no hablo su idioma. ¿Podríamos colocarnos detrás de su pista, para que puedan olfatearla?

—Ha ido a nado por el Waingunga para no dejar rastro —dijo Hermano Gris.

—Eso se lo ha dicho Tabaqui, estoy seguro. A él nunca se le hubiera ocurrido. —Mowgli se quedó pensativo, con un dedo en la boca—. La gran hondonada del Waingunga... desemboca en la llanura, a menos de un kilómetro de aquí. Podría llevar el rebaño a la parte alta de la hondonada, rodeando la Selva, y hacerlos bajar desde allí. Pero entonces se escaparía por la parte baja. Tenemos que taponar ese lado. Hermano Gris, ¿podéis dividirme el rebaño en dos?

—Yo, quizá no... Pero me he traído un ayudante muy capaz.

El Hermano Gris se fue corriendo y desapareció en un agujero. De éste surgió una enorme cabeza gris que Mowgli conocía bien, y el aire cálido se llenó del grito más desolado de toda la Selva: el aullido de caza de un lobo al mediodía.

—¡Akela! ¡Akela! —dijo Mowgli, dando una palmada—. Debí imaginar que no me olvidaríais. Tenemos una labor importante entre manos. Separad el rebaño en dos, Akela. Poned por un lado las vacas y terneros, y dejad solos a los toros y los búfalos de labor.

Los dos lobos corrieron haciendo eses, entrando y saliendo del rebaño, y éste se separó en dos grupos, resoplando y levantando la cabeza. A un lado quedaron las hembras de los búfalos, con sus crías en el centro, y las madres miraban furiosas y pateaban, dispuestas, en cuanto un lobo se quedara quieto, a cargar sobre él y quitarle la vida, aplastándolo. En el otro bando, los toros y los novillos bufaban y golpeaban el suelo con las patas; pero, aunque su aspecto fuera más imponente, eran mucho menos peligrosos, ya que no tenían terneros que proteger. Entre seis hombres no hubieran dividido tan bien el rebaño.

—¿Qué ordenáis? —jadeó Akela—. Están intentando volver a juntarse.

Mowgli se subió al lomo de Rama.

—Llevad los toros hacia la izquierda, Akela. Hermano Gris, cuando nos hayamos ido, mantened a las vacas juntas y llevadlas al pie de la hondonada.

—¿Hasta dónde? —dijo el Hermano Gris, jadeando y tirando bocados.

—Hasta que los lados sean más altos de lo que puede saltar Shere Khan —gritó Mowgli—. Tenedlas ahí hasta que nosotros bajemos.

Los toros echaron a correr al oír aullar a Akela, y Hermano Gris se colocó frente a las vacas. Éstas se lanzaron sobre él, que echó a correr justo delante de ellas, hasta llegar al pie de la hondonada, mientras Akela alejaba a los toros hacia la izquierda.

—¡Bien hecho! Otra embestida y ya estarán a punto. Cuidado ahora... Cuidado, Akela. Una dentellada de más, y los toros embestirán. ¡Juyah! Esta labor es más pesada que la de acorralar gamos negros. ¿Os imaginabais que estas criaturas se iban a mover tan velozmente? —gritó Mowgli.

—Los he... los he cazado también, en mis buenos tiempos —jadeó Akela, rodeado de polvo—. ¿Los lanzo hacia la Selva?

—¡Sí, lanzadlos! ¡Lanzadlos enseguida! Rama está loco de ira. ¡Ay, si pudiera decirle lo que quiero de él hoy!

Los toros fueron dirigidos entonces hacia la derecha, y se precipitaron al interior de la maleza violentamente. Los demás niños-pastores, que estaban cuidando el ganado a menos de un kilómetro de distancia, salieron corriendo hacia la aldea a toda velocidad, gritando que los búfalos se habían vuelto locos y habían huido.

Pero el plan de Mowgli era de lo más sencillo. Lo único que pretendía era trazar un gran círculo al subir la cuesta, llegar a la parte alta de la hondonada, hacer que los toros bajaran por ella, y atrapar a Shere Khan entre éstos y las vacas; puesto que sabía que Shere Khan, después de haber comido y bebido bien, no estaría en absoluto en condiciones de luchar, ni de trepar por los lados de la hondonada. Mowgli estaba hablando a los búfalos para tranquilizarlos, y Akela ahora los seguía, limitándose a gimotear de vez en cuando para meter prisa a la retaguardia. Tenían que dar un rodeo largo, muy largo, ya que no querían acercarse demasiado a la hondonada y poner a Shere Khan sobre aviso. Finalmente, Mowgli reunió al rebaño desconcertado en la parte alta de la hondonada, sobre una cuesta cubierta de hierba que bajaba hasta el barranco mismo. Desde aquella altura, por encima de las copas de los árboles, se veía la llanura de abajo; pero Mowgli se estaba fijando en los lados del barranco, y vio con enorme satisfacción que eran casi rectos, y que las parras y enredaderas que colgaban de ellos no servirían de apoyo a un tigre que quisiera escapar.

—Dejadlos respirar, Akela —dijo, levantando una mano—. Aún no le han olido el rastro. Dejadlos respirar. Debo decir a Shere Khan quién ha venido. Ya lo hemos cogido en la trampa.

Se rodeó la boca con las manos y gritó hacia el barranco, que era casi como gritar en la boca de un túnel, y el eco saltó de roca en roca.

Al cabo de un buen rato llegó el gruñido perezoso y soñoliento de un tigre bien comido y recién despertado.

—¿Quién llama? —dijo Shere Khan, y un pavo real espléndido salió desde el fondo del barranco, revoloteando y chillando.

—Yo, Mowgli. ¡Ladrón de ganado, ha llegado el momento de que vayáis a la Roca del Consejo! ¡Abajo...! ¡Lanzadlos hacia abajo, Akela! ¡Bajad, Rama, bajad!

El rebaño se quedó quieto durante un instante al borde de la cuesta, pero Akela lanzó el grito de caza a pleno pulmón, y se precipitaron hacia abajo, uno tras otro, como si fueran buques bajando por unos rápidos, y la tierra y las piedras saltaban a su alrededor. Una vez puestos en marcha, no había manera de parar, y aun antes de llegar al cauce del barranco, Rama sintió el rastro de Shere Khan y mugió.

—¡Ja! ¡Ja! —dijo Mowgli, montado encima de él—. ¡Ahora, ya lo sabéis!

Y el torrente de cuernos negros, hocicos espumajosos, y ojos de mirada fija se abalanzó barranco abajo, como rocas en época de inundaciones; los búfalos más débiles eran empujados hacia los lados de la hondonada, donde arrancaban las enredaderas. Sabían lo que les esperaba: la estampida terrible de un rebaño de búfalos, que ningún tigre tiene esperanzas de resistir. Shere Khan oyó el estrépito de sus cascos, se puso en pie y caminó lentamente hacia el pie del barranco, buscando de un lado a otro alguna forma de huir, pero las paredes eran escarpadas y tuvo que seguir avanzando, sintiendo el peso de la comida y la bebida, dispuesto a hacer cualquier cosa menos luchar. El rebaño chapoteó a través de la laguna que él acababa de pasar, mugiendo hasta hacer retumbar aquella garganta estrecha. Mowgli oyó un mugido que contestaba desde el pie de la hondonada, vio a Shere Khan volverse (el tigre sabía que, en el peor de los casos, era mejor encontrarse con los toros que con las vacas y sus terneros), y entonces Rama tropezó, cayó, siguió adelante, pasando por encima de algo blando, con los toros pisándole los talones, y chocó con el otro rebaño, mientras los búfalos más débiles salían por los aires debido al impacto del encuentro. La embestida llevó a ambos rebaños a la llanura, dando cornadas, coces y resoplidos. Mowgli esperó el momento oportuno, bajó del lomo de Rama, y empezó a dar golpes a diestro y siniestro con su bastón.

—¡Rápido, Akela! Separadlos. Separadlos, o empezarán a pelearse unos con otros. Lleváoslos, Akela. ¡Jai, Rama! ¡Jai! ¡Jai! ¡Jai, hijos míos! ¡Tranquilos ahora, tranquilos! Ya pasó todo.

Akela y el Hermano Gris corrieron de un lado a otro, mordisqueándoles las patas a los búfalos, y aunque hubo un momento en que el rebaño giró para volver a lanzarse barranco arriba, Mowgli logró dar la vuelta a Rama, y los demás lo siguieron hacia los lodazales.

A Shere Khan no era necesario pisotearlo más. Estaba muerto, y los milanos ya venían por él.

—Hermanos, ha sido la muerte de un perro —dijo Mowgli, tocando el cuchillo que siempre llevaba envainado alrededor del cuello ahora que vivía entre los hombres—. Aunque, de todas formas, no hubiera sido capaz de pelear. Su piel quedará muy bien sobre la Roca del Consejo. Tenemos que ponernos manos a la obra rápidamente.

A un chico educado entre hombres no se le hubiera pasado por la imaginación desollar él solo a un tigre de tres metros, pero Mowgli sabía mejor que nadie cómo está pegada al cuerpo la piel de un animal, y lo que hay que hacer para quitarla. Pero era una labor pesada, y Mowgli cortó, desgarró, y gruñó durante una hora, mientras los lobos sacaban la lengua, o se acercaban para dar tirones cuando él lo mandaba.

De pronto, una mano se apoyó en su hombro, y levantando la vista vio a Buldeo con el mosquete Tower. Los niños habían contado en la aldea lo de la estampida de los búfalos, y Buldeo había salido enfurecido, deseando regañar a Mowgli por no haber cuidado mejor del rebaño. Los lobos desaparecieron en cuanto vieron venir al hombre.

—¿Qué locura es ésta? —dijo Buldeo, indignado—. ¡Creeros capaz de desollar un tigre! ¿Dónde lo han matado los búfalos? Además, es el tigre cojo, y ofrecen cien rupias por su cabeza. Bueno, bueno; haremos la vista gorda en eso de que hayáis dejado escapar el rebaño, y quizá os dé una de las rupias de la recompensa cuando haya llevado la piel a Khanhiwara.

Palpó la banda que llevaba a la cintura, sacó un pedernal y un trozo de acero, y se agachó para quemarle los bigotes a Shere Khan. La mayoría de los cazadores indígenas cortan los bigotes a los tigres para evitar que el espíritu del animal los persiga.

—¡Hmm! —dijo Mowgli, medio hablando solo mientras arrancaba la piel de una de las patas delanteras—. ¿De modo que vos llevaréis la piel a Khanhiwara para cobrar la recompensa y quizá me deis una rupia? Yo tenía pensado darle a la piel el uso que se me antoje. ¡Eh, viejo, apartad ese fuego!

—¿Qué forma es esa de hablarle al jefe de los cazadores de la aldea? Vuestra suerte y la estupidez de vuestros búfalos os han servido para hacer esta matanza. El tigre está recién comido, o ya estaría a quince kilómetros de aquí. Ni siquiera sabéis desollarlo debidamente, mendigo mocoso, y encima yo, Buldeo, tengo que oír que no debo cortarle los bigotes. Mowgli, no os daré ni un *anna*° de la recompensa, sino una paliza muy grande. ¡Soltad el cadáver!

—Por el Toro que me compró —dijo Mowgli, que estaba intentando llegar al hombro del tigre—, ¿tendré que cotorrear con este viejo mono durante toda la tarde? Venid, Akela, este hombre me estorba.

Buldeo, que seguía agachado sobre la cabeza de Shere Khan, se encontró de repente tumbado sobre la hierba con un lobo gris encima, y Mowgli siguió desollando como si en toda la India no hubiera nadie más que él.

—Sííí —dijo entre dientes—. Tenéis toda la razón, Buldeo. No me daréis jamás ni un *anna* de la recompensa. Hay una antigua disputa entre este tigre cojo y yo..., una disputa muy antigua... Y yo he ganado.

Para ser justos con Buldeo hay que reconocer que, de haber sido diez años más joven, se hubiera enfrentado con Akela si se hubiera encontrado con él en el bosque; pero un lobo que obedecía las órdenes de aquel chico que tenía disputas privadas con un tigre devorador de hombres, no era un animal corriente. Era brujería, magia de la peor clase, pensó Buldeo, y le entraron dudas sobre si el amuleto que llevaba colgado del cuello lo protegería. Se quedó quieto, muy quieto, convencido de que Mowgli se iba a convertir en un tigre en cualquier momento.

—¡Maharajá! ¡Gran rey! —dijo finalmente, con un susurro carrasposo.

—Sí —dijo Mowgli sin volver la cabeza, soltando una risita.

° Antigua unidad monetaria de la India, Pakistán y Burma, equivalente a la decimosexta parte de una rupia.

—Yo ya tengo mis años. No sabía que fuerais algo distinto de un pastor. ¿Puedo levantarme y marcharme, o vuestro sirviente me hará pedazos?

—Marchad, y marchad en paz. Pero la próxima vez, no os entrometáis en mi caza. Soltadlo, Akela.

Buldeo se fue cojeando hacia la aldea, lo más deprisa que pudo, mirando hacia atrás, por si acaso Mowgli se convertía en algo terrible. Al llegar a la aldea contó una historia de magia, encantamiento y brujería, que hizo que el sacerdote se pusiera muy serio.

Mowgli siguió con su trabajo, pero ya estaba casi anocheciendo cuando él y los lobos lograron separar la enorme piel coloreada del cuerpo.

—Ahora debemos esconder esto y llevar a los búfalos a casa. Ayudadme a reunirlos, Akela.

El rebaño se agrupó en la neblina del crepúsculo y, al acercarse a la aldea, Mowgli vio luces y oyó cómo soplaban en sus caracolas y tocaban las campanas. La mitad de la aldea parecía estar esperándolo a la entrada.

«Esto es porque he matado a Shere Khan», se dijo, pero una lluvia de piedras le pasó silbando junto a las orejas, y los aldeanos gritaron:

—¡Hechicero! ¡Hijo de loba! ¡Demonio de la Selva! ¡Fuera! Marchaos enseguida, o el sacerdote os convertirá de nuevo en un lobo. ¡Disparad, Buldeo, disparad! —El viejo mosquete Tower hizo fuego ruidosamente, y un búfalo joven dio un mugido de dolor.

—¡Más brujerías! —gritaron los aldeanos—. También desvía las balas. Buldeo, ese búfalo es vuestro.

—Pero ¿qué es esto? —dijo Mowgli, desconcertado, mientras la lluvia de piedras se hacía más densa.

—Estos hermanos vuestros no son muy distintos de la Manada —dijo Akela, sentándose tranquilamente—. Me da la sensación de que, si las balas significan algo, quieren echaros de aquí.

—¡Lobo! ¡Cachorro de lobo! ¡Fuera! —gritó el sacerdote, agitando una rama de *tulsi*, la planta sagrada.

—¿Otra vez? La anterior fue porque era un hombre. Ahora porque soy un lobo. Vámonos, Akela.

Una mujer, Messua, corrió hacia el rebaño y gritó:

—¡Ay, hijo mío, hijo mío! Dicen que sois un hechicero que puede convertirse en fiera si lo desea. Yo no lo creo, pero marchaos, porque si no os matarán. Buldeo dice que sois un mago, pero yo sé que habéis vengado la muerte de Nathoo.

—¡Volved, Messua! —gritó la gente—. Volved, porque si no os apedrearemos.

Mowgli soltó una risita corta y fea, porque le acababan de dar en la boca con una piedra.

—Volved corriendo, Messua. Esta es una de esas historias absurdas que cuentan bajo el gran árbol al anochecer. Al menos he pagado por la vida de vuestro hijo. Adiós, y volved corriendo, porque voy a mandarles el rebaño hacia dentro a más velocidad que las tejuelas que me arrojan. No soy ningún mago, Messua. ¡Adiós! Y ahora, una vez más, Akela —gritó—. Meted el rebaño hacia dentro.

Los búfalos estaban deseando volver a la aldea. Apenas les hizo falta el grito de Akela, para lanzarse hacia la entrada como un torbellino, dispersando a la multitud a derecha e izquierda.

—¡Contadlos! —gritó Mowgli con desdén—. Puede ser que haya robado uno de ellos. Contadlos, puesto que es la última vez que los saco a pastar. Adiós, hijos de hombre, y agradeced a Messua que no entre con mis lobos y os persiga calle arriba y calle abajo.

Volvió la espalda y echó a andar con el Lobo Solitario, y al levantar la vista hacia las estrellas, se sintió feliz.

—Se acabó lo de dormir dentro de una trampa, Akela. Cojamos la piel de Shere Khan, y vámonos. No; no haremos daño a los de la aldea, porque Messua ha sido amable conmigo.

Cuando la luna se elevó sobre la llanura, dándole un aspecto lechoso, los cazadores aterrorizados vieron a Mowgli, con dos lobos pisándole los talones y un bulto sobre la cabeza, corriendo campo a través con el trote característico del lobo, que se traga los kilómetros como el fuego. Entonces se pusieron a tocar las campanas y soplar en sus caracolas, haciendo más ruido que nunca; y Messua rompió a llorar y Buldeo hiló la historia de sus aventuras en la Selva, hasta acabar diciendo que Akela se había puesto de pie y que hablaba como un hombre.

La luna estaba empezando a descender cuando Mowgli y los dos lobos llegaron a la colina de la Roca del Consejo y se detuvieron ante la cueva de Madre Loba.

—Me han echado de la Manada de los Hombres, Madre —gritó Mowgli—, pero he cumplido mi palabra y traigo la piel de Shere Khan.

Madre Loba salió de la cueva con paso rígido, seguida de los cachorros, y le brillaron los ojos al ver la piel.

—Ya le dije aquel día en que metió la cabeza y los hombros en esta cueva, intentando acabar con vuestra vida, Ranita, ya le dije que el cazador sería cazado. Bien hecho.

—Bien hecho, Hermanito —dijo una voz profunda desde la maleza—. Estábamos muy solos en la Selva sin vos.

Y Bagheera corrió hasta llegar a los pies descalzos de Mowgli. Treparon juntos por la Roca del Consejo, y Mowgli tendió la piel en la piedra lisa sobre la que siempre se tumbaba Akela, clavándola con cuatro trozos de bambú, y Akela se echó encima de ella, y lanzó el antiguo grito para reunir el Consejo: «¡Mirad, mirad bien, Lobos!», exactamente igual que la primera vez que llevaron a Mowgli allí.

Desde que Akela había sido destituido, la Manada no había vuelto a tener un jefe, y cazaban y luchaban cada uno a sus anchas. Pero contestaron a la llamada por costumbre; algunos estaban cojos por las trampas en que habían caído, otros no podían apoyar una pata en la que habían recibido un balazo, otros estaban sarnosos por haber comido algo malo, y faltaban muchos; pero los que quedaban fueron a la Roca del Consejo, y vieron la piel rayada de Shere Khan encima de la piedra, y las garras inmensas colgando de la punta de las patas vacías. Fue en ese momento cuando a Mowgli se le ocurrió una canción sin rima, una canción que le vino a la garganta espontáneamente, y empezó a cantarla a gritos, dando saltos ruidosos encima de la piel y marcando el ritmo con los talones hasta que se quedó sin aliento, mientras que Akela y el Hermano Gris aullaban entre las estrofas.

—¡Mirad bien, Lobos! ¿He cumplido mi palabra? —dijo Mowgli al terminar.

Y los lobos aullaron:

—¡Sí!

Y un lobo magullado dijo:

—Volved a guiarnos, Akela. Volved a guiarnos, cachorro de hombre, porque estamos hartos de vivir sin ley, y así volveríamos a ser el Pueblo Libre.

—No —ronroneó Bagheera—, eso no puede ser. Cuando estéis recién comidos, os puede entrar la locura de nuevo. No se os llama el Pueblo Libre en vano. Luchasteis por vuestra libertad y la conseguisteis. Coméosla, Lobos.

—Me han echado de la Manada de los Hombres y de la Manada de los Lobos —dijo Mowgli—. De ahora en adelante, cazaré a solas en la Selva.

—Y nosotros cazaremos con vos —dijeron los cuatro cachorros.

Y a partir de aquel día, Mowgli se marchó y cazó con los cuatro cachorros en la Selva. Pero no siempre estuvo solo, puesto que pasaron los años y se hizo un hombre y se casó.

Pero esa historia es para los mayores.

Canción de Mowgli

*(Cantada en la Roca del Consejo mientras bailaba
encima de la piel de Shere Khan)*

La canción de Mowgli... Yo, Mowgli, voy a cantar.
    Que la Selva oiga todo cuanto he hecho.
Shere Khan dijo que iba a matar..., ¡a matar!
    ¡A la hora del crepúsculo iba a matar a Mowgli, la Rana!
Comió y bebió. Bebed, bebed, Shere Khan,
    porque ¿cuándo volveréis a beber?
    Dormid y soñad con la caza.
Estoy solo en los pastos. Hermano Gris, ¡venid!
    Venid, Lobo Solitario, pues hay buena caza a la vista.
¿Dormís aún, Shere Khan? ¡Despertad, sí, despertad!
    Aquí estoy, y los toros me siguen.
Rama, el rey de los búfalos, pateó el suelo.
    Aguas del Waingunga, ¿dónde fue Shere Khan?
No es como Ikki, que cava agujeros,
    ni como Mao, el pavo real, que sabe volar.
    No es Mang, el murciélago, que se cuelga de las ramas.
    Vosotras, cañas de bambú crujiente, decidme hacia dónde
                            huyó.
¡Ah! Ahí está. ¡Ajá! Ahí está. ¡Bajo las patas de Rama yace el
                            Cojo!

    ¡Arriba, Shere Khan! ¡Levantaos y matad!
    ¡Aquí hay carne para vos! ¡Rompedles el cuello a los toros!

¡Ssh! Está dormido. No lo despertéis, pues tiene mucha fuerza.

    Los milanos han bajado para verlo.

    Las hormigas negras han subido para enterarse de ello.

    Hay una gran asamblea en su honor.

¡Alalá! No tengo un trozo de tela con que taparme.

    Los milanos verán que estoy desnudo.

    Me da vergüenza encontrarme con tanta gente.

Prestadme vuestro abrigo, Shere Khan.

    Prestadme vuestro vistoso abrigo a rayas,

    para que pueda ir a la Roca del Consejo.

Por el Toro que me compró he hecho una promesa...,

    una pequeña promesa.

    Solo me falta vuestro abrigo para cumplir mi palabra.

Con el cuchillo..., con el cuchillo que usan los hombres...,

    con el cuchillo de cazador, de hombre,

    me agacharé a recoger mi regalo.

Aguas del Waingunga,

    los Hombres me han arrojado de su Manada.

    No les he hecho daño alguno, pero me temen.

    ¿Por qué?

Manada de los Lobos, también me habéis expulsado.

    La Selva está cerrada para mí,

    así como las puertas de la aldea están cerradas.

    ¿Por qué?

Bailo sobre la piel de Shere Khan, pero estoy muy triste.

    Tengo llagas y heridas en la boca, por las piedras de la aldea,

    pero estoy muy contento de haber vuelto a la Selva.

    ¿Por qué?

Ambas cosas luchan dentro de mí

    como luchan las serpientes en primavera.

De mis ojos sale agua, pero me río entre tanto.

    ¿Por qué?

Soy dos Mowglis,
    pero tengo la piel de Shere Khan bajo los pies.
Toda la Selva sabe que he matado a Shere Khan.
    ¡Mirad...! Mirad bien, lobos!
¡Ahae! Me pesa el corazón
    por todas las cosas que no entiendo.

La foca blanca

Duérmete, mi niño, duerme,
que la noche va a llegar.
Las aguas se han vuelto negras,
pues el sol se ha puesto ya,
y la luna quiere vernos
entre las olas del mar.
Una almohada tan blanda
como la espuma tendrás,
donde las olas se encuentran
y se abrazan sin cesar.
Tus cansadas aletitas
allí podrás descansar,
sin miedo a los tiburones
ni a la feroz tempestad,
y dormirás arrullado
en los brazos de la mar.

NANA DE LA FOCA

Todo esto ocurrió hace ya varios años en un lugar llamado Novastoshnah, o Cabo del Nordeste, en la isla de San Pablo, allá por el mar de Bering. Limmershin, el Reyezuelo del Invierno, me contó la historia cuando el viento lo arrojó contra el aparejo de un buque que iba al Japón, y yo lo bajé a mi camarote y le di calor y comida durante un par de días, hasta que tuvo fuerzas para regresar volando a San Pablo. Limmershin es un pajarillo muy extraño, pero sabe contar la verdad.

Nadie va a Novastoshnah si no es por negocios, y las únicas que tienen allí una actividad regular son las focas. En los meses de verano llegan allí cientos y cientos de miles de focas que salen del mar frío y gris, ya que la playa de Novastoshnah tiene las mejores instalaciones del mundo para acomodar a estos animales.

Gancho de Mar lo sabía, y todas las primaveras, estuviera donde estuviera, salía nadando como un torpedero directamente hacia Novastoshnah, y se pasaba un mes luchando con sus compañeros para conseguir un buen sitio en las rocas, lo más cerca del mar que fuera posible. Gancho de Mar tenía quince años y era un buey marino enorme, de color gris, con tanto pelo en los hombros que casi parecía tener una crin, y con unos dientes caninos largos y maliciosos. Cuando se apoyaba sobre sus aletas, levantaba del suelo más de un metro de cuerpo, y su peso, si alguien hubiera tenido valor para pesarlo, era de más de trescientos kilos. Tenía cicatrices por todas partes, marcas de sus peleas salvajes, pero siempre estaba dispuesto a tener una lucha más. Echaba la cabeza a un lado, como si le diera miedo mirar a su enemigo a la cara, y entonces se abalanzaba como un rayo, y una vez que aquellos dientes enormes estuvieran firmemente clavados en el cuello de la otra foca, ésta podía intentar escapar, pero Gancho de Mar no iba a ponérselo fácil.

Sin embargo jamás intentó atacar a una foca herida, ya que eso iba contra las Normas de la Playa. Solo quería un lugar junto al mar para sus crías, pero al haber cuarenta o cincuenta mil focas buscando lo mismo todas las primaveras, los silbidos, berridos, rugidos y resoplidos que se oían en la playa eran algo aterrador.

Desde una pequeña elevación llamada la colina de Hutchinson se veían más de cuatro kilómetros de extensión cubiertos de focas luchando; y las olas estaban todas salpicadas de puntos que eran las cabezas de las focas que se apresuraban hacia tierra para participar en la pelea. Luchaban en las rompientes, luchaban en la arena, y luchaban en las rocas basálticas gastadas donde tenían a sus crías, porque eran igual de estúpidas y poco complacientes que los hombres. Sus esposas nunca llegaban a la isla hasta finales de mayo o primeros de junio, ya que no tenían ningún interés en verse hechas pedazos; y las focas jóvenes de dos, tres, y cuatro años, que aún no pensaban dedicarse a formar un hogar, se iban tierra adentro, alrededor de un kilómetro de distancia, atravesando las filas de los luchadores, y jugaban en las dunas formando bandos y legiones, destruyendo todo lo verde que crecía por allí. Recibían el nombre de *holluschickie* (los solteros) y, solo en Novastoshnah, había quizá doscientos o trescientos mil.

Una primavera, cuando Gancho de Mar acababa de poner fin a su pelea número cuarenta y cinco, Matkah, su esposa suave, brillante y de mirada dulce, salió del mar, y él la cogió por el cogote y la tumbó en el espacio que tenía reservado, diciendo ásperamente:

—Tarde, como siempre. ¿Dónde has estado?

Gancho de Mar tenía la costumbre de no comer nada durante los cuatro meses que permanecía en las playas, por lo que solía estar de pésimo humor. Matkah sabía que era mejor no contestar mal. Echó una mirada a su alrededor y dijo suavemente:

—¡Qué detalle has tenido! Has cogido el sitio de siempre.

—Solo faltaba que no lo hubiera cogido —dijo Gancho de Mar—. ¡Mírame!

Estaba lleno de arañazos y sangraba por veinte sitios; estaba casi tuerto, y tenía los flancos hechos trizas.

—¡Ay, estos hombres, estos hombres! —dijo Matkah, abanicándose con la aleta trasera—. ¿Por qué no sois sensatos y os acomodáis tranquilamente? Parece que vienes de pelearte con la Ballena Asesina.

—No he hecho nada más que pelear, desde mediados de mayo. Es una vergüenza lo llena que está la playa esta temporada. Me he encontrado lo menos con cien focas de la playa Lukannon buscando vivienda. ¿Por qué no se quedará la gente en su casa?

—Estoy convencida de que seríamos mucho más felices en la isla de las Nutrias que en este sitio tan abarrotado —dijo Matkah.

—¡Bah! Los *holluschickie* son los únicos que van a la isla de las Nutrias. Si fuéramos allí, dirían que somos unos cobardes. Hay que guardar las apariencias, querida.

Gancho de Mar metió la cabeza entre sus hombros gruesos, orgullosamente, e hizo como que se dormía durante unos minutos, pero en todo momento estuvo alerta, por si surgía una pelea. Ahora que todas las focas y sus esposas estaban en tierra, se oía el griterío desde varios kilómetros mar adentro, aunque hubiera una de las tempestades más ruidosas. Calculando por lo bajo, debía de haber más de un millón de focas en la playa, focas viejas, focas madres, focas recién nacidas, y *holluschickie*, luchando, chocando, berreando, arrastrándose y jugando juntas, metiéndose en el mar y saliendo de él en bandos y regimientos, tumbándose en cada palmo de terreno hasta donde alcanzaba la vista, agrupándose en brigadas y enzarzándose en escaramuzas en mitad de la niebla. En Novastoshnah hay niebla casi siempre, menos cuando sale el sol y hace que todo tenga el color de la perla y el arco iris durante un rato.

Kotick, el hijo de Matkah, nació en medio de aquella confusión; era todo cabeza y hombros, con ojos de un azul acuoso pálido, y tan diminuto como debía ser; pero había algo en su piel que hizo que su madre se fijara muy de cerca.

—Gancho de Mar —dijo finalmente—, ¡nuestro hijo va a ser blanco!

—¡Almejas vacías y algo secas! —resopló Gancho de Mar—. Nunca he oído hablar de algo tan raro como una foca blanca.

—Qué se le va a hacer —dijo Matkah—; a partir de ahora, sí.

Y cantó en voz baja y arrulladora la canción que todas las madres focas cantan a sus hijos:

> No vayas a nadar hasta que tengas
> seis semanas, si no quieres hundirte,
> pues sabe que tormentas y ballenas
> son malas para focas infantiles.
>
> Son malas, ratoncito,
> Con ellas no hay acierto;

pero crece, hazte fuerte,
y te reirá la suerte,
hijo del mar abierto.

Por supuesto que el pequeñajo no entendía las palabras al principio. Chapoteaba y gateaba junto a su madre, y aprendió a quitarse de en medio, avanzando torpemente, cuando su padre luchaba con otra foca y ambos rodaban y rugían sobre las rocas resbaladizas. Matkah se encargaba de ir al mar a coger comida, y el pequeño sólo comía una vez cada dos días, pero lo aprovechaba bien y crecía fuerte.

Lo primero que hizo fue gatear tierra adentro, donde conoció a decenas de miles de criaturas de su edad, y se pusieron todos a jugar como cachorros, durmiéndose luego en la arena limpia para volver a jugar otra vez. Los mayores, en los viveros, no les hacían ningún caso, y los *holluschickie* no se movían de su territorio, con lo cual los pequeños lo pasaban estupendamente.

Cuando Matkah volvía de su pesca en alta mar, iba directamente a la zona de juegos, lo llamaba, igual que una oveja a un cordero, y esperaba a que Kotick balara en respuesta. Entonces tomaba el camino más recto posible hacia él, usando las aletas y apartando a manotazos a todos los jovenzuelos. Siempre había un par de centenares de madres buscando a sus hijos por la zona de juegos, y los pequeños siempre estaban activos, pero, como le dijo Matkah a Kotick: «Mientras no te quedes tumbado en el barro y cojas sarna, o te revuelques demasiado en la arena, haciéndote un corte o una herida, y mientras no salgas a nadar cuando el mar esté revuelto, aquí no puede pasarte nada».

Las focas pequeñas no saben nadar, igual que los niños pequeños, pero no están contentas hasta que aprenden. La primera vez que Kotick se metió en el mar, una ola lo llevó hasta donde el agua cubría; su enorme cabeza se hundió y sus pequeñas aletas traseras salieron por encima de la superficie, justo como le había dicho su madre en la canción, y si la siguiente ola no lo hubiera arrastrado hacia la orilla, se hubiera ahogado.

Después de aquello, aprendió a quedarse tumbado en una de las pozas de la playa, y a dejar que las olas le cubrieran lo justo mientras él chapoteaba, pero siempre estaba alerta, por si llegaban olas grandes que pudieran hacerle daño. Tardó dos semanas en aprender a usar las aletas; y todo ese tiempo estuvo entrando y saliendo del agua a trompicones, tosiendo, gruñendo, y arrastrándose hasta la playa a dormir siestas en la arena, y volviendo a empezar, hasta que se dio cuenta de que era en el agua donde se encontraba a gusto.

Os imaginaréis cómo se divirtió con sus compañeros a partir de entonces, pasando por debajo de una batiente, o nadando en la cresta de una rompiente y cayendo con un chapoteo y un resoplido mientras la ola enorme seguía su camino hasta el fondo de la playa; sosteniéndose sobre la cola y rascándose la cabeza, como hacían los mayores, o jugando a ser «el rey del castillo»° subido en las rocas resbaladizas y cubiertas de algas que sobresalían de la superficie. De vez en cuando veía una aleta delgada, como la de un tiburón grande, acercándose a la orilla, y sabía que era la Ballena Asesina, la Orca, que come focas pequeñas siempre que puede; y entonces Kotick volvía a la playa como una flecha, y la aleta se alejaba lentamente, como si no estuviera buscando nada en absoluto.

° Juego infantil inglés que consiste en hacer montones de arena, subirse encima y cantar: «Soy el rey del castillo».

A finales de octubre, las focas empezaban a marcharse de San Pablo y se iban a alta mar en familias y tribus, con lo cual se acababan las luchas por el terreno, y los *holluschickie* jugaban donde querían.

—El año que viene —dijo Matkah a Kotick— serás un *holluschickie*, pero este año tienes que aprender a cazar peces.

Salieron los dos juntos, dispuestos a cruzar el Pacífico, y Matkah enseñó a Kotick a dormir de espalda, con las aletas pegadas a los lados del cuerpo y su naricita sobresaliendo ligeramente del agua. No hay una cuna tan cómoda como el oleaje continuo y bamboleante del Pacífico. Cuando Kotick empezó a notar un hormigueo por toda la piel, Matkah le dijo que estaba aprendiendo a sentir el «tacto del agua», y que si percibía cosquilleos y pinchazos, quería decir que venía mal tiempo, y debía nadar con fuerza y huir.

—Dentro de poco —le dijo—, sabrás hacia dónde tienes que nadar, pero ahora vamos a seguir al puerco marino, la marsopa, que sabe mucho.

Un banco de marsopas se zambullía y avanzaba rápidamente por el agua, y el pequeño Kotick intentó seguirlas todo lo deprisa que pudo.

—¿Cómo sabes adónde ir? —jadeó.

La jefa de las marsopas puso los ojos en blanco y se metió de cabeza en el agua.

—Noto un hormigueo en la cola, jovencito —dijo—. Eso quiere decir que tengo un temporal detrás. ¡Sígueme! Cuando estés al sur del Agua Pegajosa (se refería al Ecuador), y notes un cosquilleo en la cola, quiere decir que tienes una tempestad por delante y que debes ir hacia el norte. ¡Sígueme! El tacto de este agua es malo.

Ésta es una de las muchas cosas que Kotick aprendió, y siempre aprendía algo. Matkah le enseñó a seguir a los bacalaos y aligotes° por las hondonadas que hay bajo el mar; a sacudir al esperinque°° para sacarlo de su agujero entre las algas; a rodear los barcos hundidos a cien brazas de profundidad, y a entrar y salir de los ojos de buey como una bala de rifle, siguiendo a los peces; a bailar encima de las olas cuando los rayos atravesaban el cielo de lado a lado; a saludar cortésmente con la aleta al albatros de cola parecida a un cepillo y al halcón Buque de Guerra, al verlos bajar siguiendo la dirección del viento; a saltar un metro o más fuera del agua, como un delfín, con las aletas pegadas a los lados y la cola curvada; a dejar en paz a los peces voladores, porque son muy huesudos; a arrancarle un trozo de espalda a un bacalao a toda velocidad y a diez brazas de profundidad; y a nunca detenerse a mirar un barco o un buque, pero, sobre todo, a un barco de remos. Al cabo de seis meses, lo que no supiera Kotick sobre la pesca en alta mar, no merecía la pena, y durante todo ese tiempo, no puso una aleta en tierra firme.

Un día, sin embargo, mientras estaba medio dormido en las aguas cálidas cercanas a la isla de Juan Fernández, notó que le entraba debilidad y pereza por todo el cuerpo, como a los seres humanos cuando les afecta la primavera en las piernas, y se acordó de las playas de Novastoshnah, buenas y firmes, a tres mil kilómetros de distancia; los juegos de sus camaradas, el olor de las algas, el rugido de las focas, la lucha. En aquel mismo instante se dirigió hacia el norte, nadando con constancia, y al seguir avanzando se encontró con veintenas de sus compañeros, todos en la misma dirección, que le dijeron:

—¡Saludos, Kotick! Este año ya somos todos *holluschickie*; podemos bailar la Danza del Fuego en las rompientes de

---

°   Pez parecido al besugo.

°°   Especie de bacalao pequeño.

Lukannon y jugar en la hierba nueva. Pero ¿de dónde has sacado esa piel?

A Kotick se le había puesto el pelo casi tan blanco como la nieve y, aunque estaba muy orgulloso de él, solo dijo:

—¡Nadad rápidamente! Me duelen los huesos de tanto como deseo llegar a tierra.

Y acabaron arribando a las playas en que habían nacido, y oyeron a las focas viejas, sus padres, luchando en la niebla envolvente.

Aquella noche Kotick bailó la Danza del Fuego con las focas que tenían un año. Desde Novastoshnah hasta Lukannon, el mar se llena de fuego en las noches de verano; cada foca va dejando una estela como de aceite hirviendo, y una llamarada brillante al saltar, y las olas al romper forman rayas y remolinos fosforescentes. Luego fueron tierra adentro, al territorio de los *holluschickie*, y se restregaron por el trigo silvestre recién nacido, y contaron historias de lo que habían hecho estando en el mar. Hablaban del Pacífico igual que lo harían unos chicos que han estado cogiendo nueces en el bosque, y si alguien hubiera logrado entenderlos, podía haber hecho un mapa de aquel océano como jamás se había visto. Los *holluschickie* de tres y cuatro años se abalanzaron hacia abajo por la colina de Hutchinson, gritando:

—¡Fuera de ahí, jovenzuelos! El mar es profundo y aún no sabéis todo lo que hay en él. Esperad a que hayáis rodeado el Cabo. Hola, pequeñajo, ¿de dónde has sacado esa piel blanca?

—No la he sacado de ningún sitio —dijo Kotick—, me ha salido así.

Y justo cuando iba a darle un revolcón al que se lo había dicho, un par de hombres de pelo moreno, con caras rojas y aplastadas, aparecieron por detrás de una duna, y Kotick, que nunca había visto un hombre, tosió y bajó la cabeza. Los *holluschickie* se limitaron a alejarse unos metros y ponerse a mirar con aire estúpido. Los hombres eran nada menos que Kerick Booterin, el jefe de los cazadores de focas de la isla, y Patálamon, su hijo. Venían de la aldea pequeña que había a poco más de un kilómetro de los viveros, y estaban decidiendo qué focas se iban a llevar al matadero (porque las focas se dejan llevar igual que las ovejas), para acabarlas convirtiendo en chaquetas de piel.

—¡Eh! —dijo Patálamon—. ¡Mira! ¡Una foca blanca!

Kerick Booterin palideció hasta quedar casi blanco bajo la capa de aceite y humo que lo cubría, ya que era un aleuta, y los aleutas no son gente limpia. Después empezó a rezar por lo bajo.

—No la toques, Patálamon. No se ha visto una foca blanca desde... desde que yo nací. Puede que sea el fantasma del Viejo Zaharrof. Desapareció el año pasado en una tormenta.

—No pienso acercarme —dijo Patálamon—. Da mala suerte. ¿De verdad crees que es el viejo Zaharrof que ha vuelto? Le debo dinero por unos huevos de gaviota.

—No la mires —dijo Kerick—. Llévate ese grupo de las de cuatro años. Los hombres tendrían que despellejar doscientas hoy, pero estamos a principios de temporada, y aún no conocen bien el trabajo. ¡Rápido!

Patálamon agitó un par de omoplatos de foca delante de un rebaño de *holluschickie*, y éstos se pararon en seco, bufando y resoplando. Entonces se acercó, y las focas empezaron a moverse; Kerick se dirigió tierra adentro, y los animales no hicieron ningún intento de volver con sus compañeros. Cientos y cientos de miles de focas vieron cómo se las llevaban, pero siguieron jugando como si no pasara nada. Kotick era el único que hacía preguntas, y nadie supo decirle nada, excepto que los hombres siempre se llevaban a las focas de esa manera durante un espacio de entre seis semanas y dos meses, todos los años.

—Voy a seguirlos —dijo, y casi se le salían los ojos de las órbitas mientras se arrastraba siguiendo la pista del rebaño.

—La foca blanca nos está siguiendo —gritó Patálamon—. Es la primera vez que una foca viene al matadero sola.

—¡Sssh! No mires hacia atrás —dijo Kerick—. ¡Claro que es el fantasma de Zaharrof! Más vale que hable con el sacerdote de esto.

La distancia hasta llegar al matadero era de poco más de un kilómetro, pero se tardaba una hora en recorrerla, porque Kerick sabía que, si las focas iban demasiado deprisa, se acalorarían y, al quitarles la piel, saldría a trozos. Por tanto, avanzaban muy lentamente, pasando la garganta del León y la Casa Webster, hasta llegar a la Casa de la Sal, que las focas de la playa no alcanzaban a ver. Kotick los seguía, jadeando y sintiendo curiosidad. Pensó que estaba en el fin del mundo, pero el rugido de los viveros de focas que tenía detrás sonaba tan alto como el estruendo de un tren al pasar por un túnel. Entonces Kerick se sentó sobre el musgo y sacó un reloj de peltre, que pesaba bastante, y dejó que a las focas se les pasara el calor durante treinta minutos, y Kotick estuvo escuchando cómo le caían de la visera de la gorra las gotas de agua que había dejado la niebla. Entonces aparecieron diez o doce hombres, cada uno con una porra recubierta de hierro de más de un metro de longitud, y Kerick señaló a una o dos focas que habían sido mordidas por sus compañeras, o que estaban demasiado acaloradas, y los hombres las apartaron, dándoles patadas con sus botas, hechas de piel de garganta de morsa, y entonces Kerick dijo: «¡Ya!», y los hombres empezaron a golpear en la cabeza a las focas a toda velocidad.

Diez minutos más tarde, Kotick ya no era capaz de reconocer a sus amigas, ya que les habían quitado la piel desde el hocico a las aletas traseras, habían sacudido los pellejos para limpiarlos, y los habían tirado al suelo, haciendo un montón.

Kotick no quiso ver más. Se volvió y galopó (porque una foca puede galopar muy rápidamente durante un rato breve) hacia el mar, y su bigotito recién salido le temblaba de horror. En la garganta del León Marino, donde esos enormes animales descansan al borde del mar, se lanzó de cabeza al agua fría, y allí se quedó balanceándose y jadeando desesperadamente.

—¿Quién anda ahí? —dijo un león marino bruscamente; porque estos animales no suelen mezclarse con el resto.

—¡*Scuchni!* ¡*Ochen scuchni!* (¡Estoy solo, muy solo!) —dijo Kotick—. ¡Están matando a todos los *holluschickie* en todas las playas!

El león marino volvió la cabeza tierra adentro.

—¡Tonterías! —dijo—. Tus amigos están haciendo más ruido que nunca. Has debido de ver al viejo Kerick despachando una manada. Lleva treinta años haciéndolo.

—Es horrible —dijo Kotick, moviendo las aletas al pasarle una ola por encima, enderezándose con un movimiento en espiral de sus aletas, y yendo a parar con el cuerpo erguido a unos centímetros del borde afilado de una roca.

—¡No está mal para tener solo un año! —dijo el león marino, que era un entendido en materia de natación—. La verdad es que es bastante horrible desde tu punto de vista; pero si las focas os empeñáis en venir aquí año tras año, está claro que los hombres lo saben, y a no ser que encontréis una isla en la que no haya hombres, siempre os perseguirán.

—¿Y no existe una isla así? —empezó Kotick.

—He seguido a los *poltus* (aligotes) durante veinte años, y lo cierto es que todavía no he encontrado una isla semejante. Pero mira... parece que te gusta hablar con tus superiores; podrías ir al islote de las Morsas y hablar con Vitch de Mar.

Puede que ella sepa algo. No salgas tan disparado. Tienes que nadar unos nueve kilómetros hasta allí, y yo en tu lugar, echaría una siesta en tierra, chiquitín.

A Kotick le pareció un buen consejo, por lo que volvió nadando a su propia playa, salió del mar, y durmió durante media hora, dando respingos como hacen las focas. Después se encaminó directamente hacia el islote de las Morsas, un pedazo de tierra baja y rocosa, casi al nordeste de Novastoshnah, lleno de salientes en la piedra y de nidos de gaviota; un lugar donde se reunían las morsas a solas.

Llegó a tierra cerca de donde estaba Vitch de Mar, una morsa grande, fea, hinchada, llena de manchas, con el cuello gordo y los colmillos largos, que venía del norte del Pacífico y que era una grosera siempre, menos cuando dormía, como en aquel momento, con las aletas traseras mitad dentro y mitad fuera del agua.

—¡Despierta! —ladró Kotick, porque las gaviotas estaban haciendo mucho ruido.

—¡Ah! ¡Oh! ¡Uf! ¿Qué ocurre? —dijo Vitch de Mar, y despertó a la morsa de al lado, dándole un golpe con los colmillos, y la siguiente despertó a la de más allá, y así hasta que no quedó una dormida, y todas empezaron a mirar a su alrededor, sin dar con la dirección correcta.

—¡Hola! Es aquí —dijo Kotick, flotando al borde del mar, y desde allí, parecía una babosa blanca diminuta.

—¡Vaya! ¡Que me despellejen viva! —dijo Vitch de Mar, y todas se quedaron mirando a Kotick como puede uno imaginarse que los viejos de una tertulia mirarían a un niño pequeño.

A Kotick no le hacía mucha gracia oír hablar de despellejar justo en aquel momento; ya había visto suficiente; y dijo en voz alta:

—¿Existe algún sitio donde no haya hombres, para que las focas puedan ir allí?

—Vete a averiguarlo —dijo Vitch de Mar cerrando los ojos—. Corre, que aquí estamos muy ocupados.

Kotick saltó en el aire como un delfín y gritó con todas sus fuerzas:

—¡Almejera! ¡Almejera!

Sabía que Vitch de Mar no había atrapado a un pez en su vida, sino que siempre andaba buscando almejas y algas, aunque pretendía dar la impresión de ser muy peligrosa. Por supuesto, los *chikies*, los *gooveroskies*, los *epatkas*, las gaviotas burgomaestres, los *kittiwakes*, y los frailecillos, que nunca desperdician una oportunidad de demostrar su mala educación, empezaron a gritar lo mismo y, según me dijo Limmershin, durante casi cinco minutos hubiera sido imposible oír un disparo en el islote de las Morsas. Todos sus habitantes chillaban y berreaban:

—¡Almejera! *¡Stareek!* (¡Vieja!)

Mientras tanto, Vitch de Mar rodaba de un lado a otro, gruñendo y tosiendo.

—¿Ahora me lo vas a decir? —preguntó Kotick, sin aliento.

—Ve a preguntárselo a Vaca Marina —dijo Vitch de Mar—. Si aún vive, ella podrá informarte.

—¿Cómo reconoceré a Vaca Marina cuando la vea? —dijo Kotick, marchándose ya.

—Es el único bicho que es más feo que Vitch de Mar —gritó una gaviota burgomaestre, revoloteando bajo el hocico de la morsa—. ¡Más feo, y con peores modales! *¡Stareek!*

Kotick volvió nadando a Novastoshnah, dejando a las gaviotas con su intento de descubrir un sitio tranquilo para las focas. Le dijeron que los hombres siempre se habían llevado a los *holluschickie*, que formaba parte del trabajo diario, y que si no le gustaba ver cosas feas, no tenía que haber ido al matadero. Pero ninguna de las demás focas había visto la matanza, y ahí estaba la diferencia entre él y sus amigos. Además, Kotick era una foca blanca.

—Lo que tienes que hacer —dijo el viejo Gancho de Mar después de haber oído las aventuras de su hijo— es crecer y ser una foca muy grande, como tu padre, y tener un vivero en la playa, y entonces, te dejarán en paz. Dentro de cinco años, serás capaz de luchar tú solo.

Incluso la dulce Matkah, su madre, le dijo:

—No puedes hacer nada para evitar la matanza. Ve a jugar al mar, Kotick.

Y Kotick se fue y bailó la Danza del Fuego, pero con el corazón muy triste.

Aquel otoño se fue de la playa en cuanto pudo, y se puso en camino, él solo, porque se le había metido una idea en esa cabeza con forma de bala. Pensaba encontrar a Vaca Marina, si es que existía una criatura semejante en el mar, y hallar una isla tranquila, con playas buenas y seguras, donde los hombres no pudieran hacerles daño. Y se puso a explorar y explorar, desde el norte al sur del Pacífico, llegando a nadar ciento cincuenta kilómetros en un día y una noche. Vivió más aventuras de las que se pueden contar, y escapó de milagro al tiburón tumbón, al tiburón moteado, y al pez martillo, y conoció a todos los rufianes poco fiables que se pasean mar arriba y mar abajo, y a los peces grandes y educados, y a las pechinas con lunares de color escarlata, que se quedan ancladas en un lugar durante cientos de años, y están muy orgullosas de ello; pero no se topó con Vaca Marina, ni halló una isla que le gustara.

Si la playa era buena y dura, con una colina detrás en la que pudieran jugar las focas, siempre se veía el humo de un ballenero quemando grasa en el horizonte, y Kotick sabía bien lo que eso significaba. Otras veces se daba cuenta de que había habido focas en la isla y que las habían matado, y Kotick sabía que cuando los hombres van a un sitio, siempre vuelven. Se puso a hablar con un albatros viejo, con una cola como un cepillo, que le dijo que la isla Kerguelen era el mejor sitio para encontrar paz y tranquilidad, y cuando Kotick llegó allí, estuvo a punto de morir aplastado contra un acantilado negro de aspecto siniestro, en mitad de una fuerte tormenta de granizo, truenos y relámpagos. Además, cuando logró llegar a tierra a pesar de la tempestad, se dio cuenta de que allí había habido un vivero de focas. Y lo mismo ocurrió con todas las otras islas que visitó.

Limmershin dio una lista muy larga de ellas, ya que, según dijo, Kotick estuvo explorando durante cinco estaciones, con un descanso anual de cuatro meses en Novastoshnah, donde los *holluschickie* siempre se reían de él y de sus islas imaginarias. Fue a las Galápagos, en el Ecuador, un sitio horrendo y seco donde estuvo a punto de morir abrasado; fue a las islas Georgias, a las Orcadas del Sur, a la isla de la Esmeralda, a la del Ruiseñor, a la de Gough, a la de Bouvet, a las Crossets, e incluso a una isla del tamaño de una mota diminuta que hay al sur del Cabo de Buena Esperanza. Pero en todas partes los habitantes del mar le decían lo mismo. Hacía mucho tiempo, había habido focas en aquellas islas, pero los hombres las habían exterminado. Incluso cuando salió del Pacífico, nadando miles de kilómetros hasta un sitio llamado Cabo Corrientes (eso fue al volver de la isla de Gough), se encontró con un par de centenares de focas sarnosas encima de una roca, y le dijeron que los hombres también iban allí.

Aquello casi le partió el alma, y se dirigió hacia el cabo, rodeándolo para volver a sus propias playas, pero, de camino hacia el norte, se detuvo en una isla llena de árboles verdes, donde había una foca vieja, muy vieja, que se estaba muriendo, y Kotick cogió peces para dárselos, y le contó todas sus penas.

—Ahora —dijo Kotick—vuelvo a Novastoshnah, y si me llevan a los mataderos con los *holluschickie*, me da igual.

La foca vieja dijo:

—No desistas aún. Yo soy la última de la Colonia Perdida de Masafuera, y en los tiempos en que los hombres nos mataban de cien mil en cien mil, se contaba en las playas una historia sobre una foca blanca que vendría del norte un día y llevaría al pueblo de las focas a un lugar tranquilo. Yo ya soy vieja y no viviré para ver ese día, pero habrá otros que sí. No desistas aún.

Y Kotick frunció el bigote (que era una belleza), y dijo:

—Yo soy la única foca blanca que ha existido en las playas, y soy la única foca, blanca o negra, que ha tenido la ocurrencia de buscar islas nuevas.

Aquello le dio muchos ánimos; y al volver a Novastoshnah aquel verano, Matkah, su madre, le rogó que se casara y formara un hogar, puesto que ya no era un *holluschick*, sino todo un Gancho de Mar, hecho y derecho, con una melena blanca y rizada sobre los hombros, y tan fuerte, tan grande, y tan fiero como su padre.

—Dame una estación más —dijo él—. Recuerda, madre, que siempre es la séptima ola la que llega más lejos en la playa.

Curiosamente, hubo otra foca que decidió aplazar su boda hasta el año siguiente, y Kotick bailó la Danza del Fuego con ella por toda la playa de Lukannon la noche antes de ponerse en camino hacia su última exploración.

Esta vez fue hacia el oeste, porque había descubierto el rastro de un banco enorme de aligotes, y necesitaba al menos cincuenta kilos de pescado al día para estar en buenas condiciones. Los persiguió hasta que se quedó agotado, y entonces se hizo un ovillo y cayó dormido en uno de los hoyos que deja en la arena la marea que sube por la isla del Cobre. Conocía la costa perfectamente y, alrededor de la medianoche, cuando notó que había caído suavemente sobre un lecho de algas, dijo: «Hmm, la marea tira mucho esta noche», y dándose la vuelta, bajo el agua, abrió los ojos y se estiró. Y entonces saltó como un gato, porque vio unas cosas enormes metiendo el hocico en el agua menos profunda y mordisqueando los flecos enormes de las algas.

—¡Por las Batientes Gigantes del Magallanes! —dijo, ocultando la boca bajo el bigote—. ¿De qué parte del mar profundo habrán salido éstos?

No se parecían a ninguna morsa, león marino, foca, oso, ballena, tiburón, pez, calamar, ni pechina de los que Kotick había visto a lo largo de su vida. Medían entre cinco y diez metros y no tenían aletas traseras, sino una cola en forma de pala, que parecía haber sido recortada de un trozo de cuero mojado. Tenían las cabezas más ridículas que se han visto nunca, y se balanceaban en alta mar sobre la punta de la cola, cuando no estaban comiendo, haciéndose reverencias unos a otros y agitando las aletas delanteras como hace un hombre gordo con los brazos.

—¡Ejem! —dijo Kotick—. ¿se divierten, caballeros?

Los bichos enormes contestaron haciendo una reverencia y moviendo las aletas como el Lacayo-Rana.° Cuando empezaron a comer de nuevo, Kotick se dio cuenta de que tenían el labio superior partido en dos pedazos que se podían separar, dejando unos dos palmos de distancia, y volver a juntar, llevándose dentro una fanega entera de algas. Una vez metidas en la boca, se ponían a masticar las algas solemnemente.

—Menuda forma de comer —dijo Kotick. Volvieron a hacer una reverencia, y Kotick empezó a perder la paciencia—.

°   Traducción literal de Frog-Footman, personaje del libro de Lewis Carroll, *Alicia en el País de las Maravillas.*

Muy bien —dijo—. Aunque sea verdad que tenéis una articulación de más en vuestras aletas delanteras, no hace falta que hagáis tanto alarde de ello. Ya veo que hacéis las reverencias con elegancia, pero quisiera saber vuestros nombres.

Los labios partidos se movieron y temblequearon, y los ojos verdes y vidriosos miraron con descaro; pero los bichos no hablaron.

—¡Vaya! —dijo Kotick—. Es la primera vez que veo a alguien más feo que Vitch de Mar y peor educado.

Entonces se le hizo la luz y recordó lo que le había dicho la gaviota burgomaestre cuando solo tenía un año, en el islote de las Morsas, y cayó de espaldas en el agua, pues se dio cuenta de que por fin había encontrado a la Vaca Marina.

Éstas siguieron mascando, triturando y engullendo los bancos de algas, y Kotick les hizo preguntas en todos los idiomas de los que había aprendido algo en sus viajes; pues los habitantes del Mar hablan casi tantos idiomas como los seres humanos. Pero las Vacas Marinas no le contestaron, porque no saben hablar. Solo tienen seis huesos en el cuello, en vez de siete, y se dice bajo el mar que esto les impide incluso hablar con sus semejantes; pero, como sabéis, tienen una articulación de más en las aletas delanteras y, al moverlas de arriba abajo y en redondo, tienen una especie de código telegráfico rudimentario.

Al hacerse de día, a Kotick se le había puesto la crin de punta y su paciencia se había ido donde van los cangrejos cuando mueren. Entonces las vacas marinas empezaron a viajar hacia el norte muy lentamente, deteniéndose de vez en cuando a celebrar consejos absurdos, que consistían en hacer reverencias, y Kotick las iba siguiendo, diciéndose a sí mismo:

«Unos animales tan idiotas como éstos tenían que haber muerto ya hace tiempo, de no haber encontrado una isla segura;

y lo que vale para la Vaca Marina, vale para el Gancho de Mar. De todas formas, podrían ir algo más deprisa».

A Kotick le estaba resultando agotador. La manada nunca hacía más de sesenta o setenta kilómetros diarios, y paraban a comer por la noche, manteniéndose siempre cerca de la costa; mientras tanto, Kotick nadaba alrededor de ellas, por encima y por debajo, pero no conseguía que fueran ni medio kilómetro más deprisa.

Al irse acercando más al norte, empezaron a celebrar consejos de reverencias con intervalos de muy pocas horas, y Kotick, de la impaciencia, estuvo a punto de arrancarse el bigote a mordiscos, hasta que vio que estaban siguiendo una corriente de agua cálida, y entonces les cogió más respeto.

Una noche se hundieron en las aguas relucientes (se hundieron como piedras) y por primera vez desde que las había conocido, empezaron a nadar rápidamente. Kotick fue detrás, y la velocidad lo dejó atónito, porque nunca se hubiera imaginado que la Vaca Marina sabía nadar bien. Se dirigieron hacia un acantilado en la costa, un acantilado que continuaba bajo el agua, a bastante profundidad, y se metieron de cabeza en un agujero oscuro que había al pie de éste, a veinte brazas bajo el mar. Tuvieron que nadar un trecho muy, muy largo, y Kotick se empezó a quedar sin aire antes de salir del túnel oscuro en que lo habían metido.

—¡Por mi peluca! —dijo, jadeando y resoplando, al salir por el otro lado y ver el mar abierto—. Ha sido un buen chapuzón, pero merece la pena.

Las vacas marinas se habían separado y estaban mordisqueando perezosamente las algas del borde de la orilla de las mejores playas que había visto Kotick en su vida. Había grandes extensiones de roca gastada, que se prolongaban durante varios kilómetros, lo más adecuado para los viveros de focas, y detrás había lugares de tierra dura e inclinada, donde podrían jugar, y había rompientes en que las focas podrían bailar, y hierba larga para restregarse, y dunas por las que subir y bajar; y lo mejor de todo era que Kotick, por el tacto del agua, se dio cuenta de que el hombre no había estado allí jamás.

Lo primero que hizo fue asegurarse de que la pesca era buena, y luego se puso a nadar por la orilla, contando las magníficas islas arenosas y aplastadas, medio escondidas en la niebla tupida y hermosa. Hacia el norte, a lo lejos, en el mar, había una línea de bancos de arena, barras y rocas que no permitiría que un barco se acercara a menos de nueve kilómetros de la playa; y entre las islas y la tierra firme había un canal de aguas profundas que llegaba hasta los acantilados perpendiculares bajo los cuales, en algún lugar, estaba la boca del túnel.

—Es igual que Novastoshnah, pero diez veces mejor —dijo Kotick—. Las vacas marinas deben de ser más listas de lo que yo pensaba. Los hombres no pueden bajar por los acantilados, suponiendo que apareciera alguno; y los escollos que hay a lo lejos harían trizas cualquier barco. Si hay un sitio seguro en el mar, es éste.

Empezó a pensar en la foca que había dejado detrás, pero, aunque estaba deseando volver a Novastoshnah, exploró el nuevo país a fondo, para poder contestar a todas las preguntas.

Después se zambulló hasta encontrar la boca del túnel, y se dirigió hacia el sur a toda velocidad. Solamente a una vaca marina o a una foca se le hubiera ocurrido que pudiera existir un sitio semejante, y cuando volvió la vista hacia los acantilados, incluso a Kotick le costó trabajo creerse que había estado debajo de ellos.

Tardó seis días en volver a casa, aunque no iba despacio, y cuando salió del mar, justo a la altura de la garganta del

León Marino, lo primero que vio fue la foca que había estado esperándolo, y ésta se dio cuenta por su mirada de que, por fin, había encontrado su isla.

Pero los *holluschickie* y Gancho de Mar, su padre, y todas las demás focas, se rieron de él cuando les contó lo que había descubierto, y una foca joven, de su misma edad, le dijo:

—Todo eso está muy bien, Kotick, pero no puedes llegar de no se sabe dónde y empezar a darnos órdenes de repente. Ten en cuenta que hemos estado luchando por nuestros viveros, y eso es algo que tú nunca has hecho. Has preferido merodear por los mares.

Las otras focas se rieron al oírlo, y la foca joven empezó a cabecear. Se había casado aquel año, y se daba mucha importancia.

—Yo no tengo un vivero por el que luchar —dijo Kotick—. Solo quiero enseñaros un sitio en el que podáis vivir a salvo. ¿De qué sirve luchar?

—Bueno, si te quieres echar atrás, qué se le va a hacer —dijo la foca joven, soltando una risita perversa.

—¿Vendrás conmigo si gano? —dijo Kotick, y los ojos le brillaron con una luz verde, puesto que estaba muy furioso por tener que luchar.

—Muy bien —dijo la foca joven, con aires de indiferencia—. Suponiendo que ganes, iré.

No hubiera tenido tiempo de cambiar de idea, porque la cabeza de Kotick ya había salido disparada y sus dientes se hundieron en la grasa del cuello de la foca joven. Después se enderezó y arrastró a su enemiga hasta la playa, la zarandeó, y la tiró al suelo. Entonces Kotick rugió a las focas:

—Durante las cinco últimas estaciones, he hecho lo posible por ayudaros. Os he encontrado una isla donde estaréis a salvo, pero a no ser que os arranquen del cuello esas cabezas huecas que tenéis, no estáis dispuestas a creer nada. Ahora vais a ver lo que es bueno. ¡Defendeos como podáis!

Limmershin me dijo que jamás en la vida (y Limmershin ve diez mil focas grandes luchando todos los años), que jamás en su corta vida había visto nada semejante a la embestida de Kotick contra los viveros. Se abalanzó sobre el mayor gancho de mar que encontró, lo agarró por la garganta, lo dejó medio ahogado, lo zarandeó y golpeó hasta que el otro gruñó pidiendo piedad, y entonces lo dejó a un lado y atacó al siguiente. Tened en cuenta que Kotick nunca había ayunado durante cuatro meses como hacían las focas grandes todos los años, y sus viajes a nado por alta mar lo conservaban en muy buena forma, y sobre todo, era la primera vez que luchaba. Su crin blanca y rizada estaba erizada de furia, le salían chispas de los ojos, los enormes caninos le brillaban, y tenía un aspecto espléndido.

Gancho de Mar, su padre, ya viejo, lo vio pasar por delante a toda velocidad, arrastrando a las focas viejas y llenas de canas como si fueran aligotes, y lanzando a los jóvenes solteros por el aire, en todas direcciones; Gancho de Mar dio un bramido y gritó:

—Estará loco, pero es el mejor luchador de las playas. ¡No ataques a tu padre, hijo mío! ¡Estoy contigo!

Kotick respondió con un bramido, y el viejo Gancho de Mar se encaminó hacia la pelea lentamente, con el bigote de punta, resoplando como una locomotora, mientras Matkah y la foca que se iba a casar con Kotick se estremecían, admirando a sus hombres. Fue una pelea grandiosa, porque ninguno de los dos se hartó de luchar mientras hubiera una foca dispuesta a levantar la cabeza, y después desfilaron orgullosamente por la playa, rugiendo los dos juntos.

Al llegar la noche, en el momento en que la aurora boreal había empezado a parpadear y relumbrar a través de la niebla,

Kotick se subió a una roca desnuda y bajó la vista, observando los viveros destrozados y las focas heridas y sangrantes.

—Ahora —dijo— os he dado vuestro merecido.

—¡Por mi peluca! —dijo el viejo Gancho de Mar, enderezándose trabajosamente, pues estaba tremendamente magullado—. Ni la Ballena Asesina en persona les hubiera dado una paliza mayor. Hijo, estoy orgulloso de ti, y lo que es más, pienso acompañarte a tu isla..., si es que existe tal sitio.

—¡A ver, cebones de mar! ¿Quién viene conmigo al túnel de las vacas marinas? Contestad, o vuelvo a enseñaros lo que es bueno —bramó Kotick.

Se oyó un murmullo como el rumor de la marea cuando sube y baja por las playas.

—Iremos —dijeron miles de voces agotadas—. Seguiremos a Kotick, la Foca Blanca.

Entonces Kotick hundió la cabeza entre los hombros y cerró los ojos con orgullo. Ya no era una foca blanca, sino roja de la cabeza a la cola. Pero eso era lo de menos, nunca se hubiera rebajado a mirar o tocar ni una de sus heridas.

Una semana más tarde, él y su ejército (casi diez mil *holluschickie* y focas viejas), pusieron rumbo al norte, hacia el túnel de las vacas marinas, con Kotick al frente, y las focas que se quedaron en Novastoshnah los llamaron idiotas. Pero a la primavera siguiente, cuando se encontraron todas en los bancos de pesca del Pacífico, las focas de Kotick contaban tales historias sobre las playas nuevas del otro lado del túnel de las vacas marinas, que cada vez salían más focas de Novastoshnah.

Por supuesto que todo esto no ocurrió de golpe, porque las focas tardan mucho en dar vueltas a una idea en la cabeza, pero año tras año iban saliendo más y más focas de Novastoshnah, de Lukannon, y del resto de los viveros, hacia las playas tranquilas y protegidas en que Kotick pasa ahora todo el verano, creciendo y engordando y haciéndose más fuerte cada año, mientras los *holluschickie* juegan a su alrededor, en aquel mar al que jamás llega un hombre.

Lukannon

(Ésta es la gran canción que todas las focas de San Pablo cantan en alta mar cuando vuelven a sus playas en verano. Es una especie de himno nacional de las focas, y es muy triste).

Un día vi a mis amigas (pero ¡ay, qué vieja soy ya!)
donde rugen en verano las olas en su chocar.
Oí su canción a coro, que ahogaba la de la mar.
Eran millones de voces, dos millones, tal vez más.

Canción que canta el buen tiempo en la laguna de sal.
Canción de los escuadrones por las dunas al pasar.
Canción de danzas nocturnas que en llamas convierte el mar.
¡Oh, las playas de Lukannon, si nadie fuera a cazar!

Un día vi a mis amigas (¡ya no las veré jamás!).
La playa se volvió negra, llegaban legiones ya.
Y gritábamos con fuerza sobre la espuma del mar
para dar la bienvenida a cada foca al llegar.

¡Oh, las playas de Lukannon...! No existía un trigo igual,
con su musgo humedecido por la niebla de la mar.
La plataforma de juegos se ve a lo lejos brillar.
¡Oh, las playas de Lukannon... nuestras playas... nuestro
hogar!

Hoy he hallado a mis amigas; tristes, dispersas están.
El cazador nos dispara, nos golpea hasta matar.
Lo seguimos como ovejas, y nos trata sin piedad.
¡Oh, las playas de Lukannon, si nadie fuera a cazar!

¡Gira hacia el sur! ¡Corre y corre, *gooverooska* sin parar!
Cuéntale al virrey marino la historia de nuestro afán.
Vacía como una cáscara que arroja la tempestad,
¡oh, la playa de Lukannon no verá a sus hijos más!

RIKKI-TIKKI-TAVI

Después de haber entrado en la hura del áspid,
Rikki-tikki-tavi llamó a la cobra Nag.
Oíd lo que le dijo Rikki-tikki-tavi:
«Nag, ¿por qué no venís con la Muerte a bailar?»

Ojo con ojo, testa con testa.
(Mantened el paso, Nag.)
Yo no me rindo hasta veros muerta.
(Pues cuando vos gustéis, Nag.)
Vuelta por vuelta, giro por giro.
(Corred a esconderos, Nag.)
¡Ja! ¡Ja! ¡La muerte pudo contigo!
(¡Ay de vos, Nag!)

Ésta es la historia de la gran batalla que sostuvo Rikki-tikki-tavi, sin ayuda de nadie, en los cuartos de baño del gran bungaló que había en el acuartelamiento de Segowlee. Darzee, el pájaro tejedor, la ayudó, y Chuchundra, la rata almizclera, que nunca anda por el centro del suelo, sino junto a las paredes, silenciosamente, fue quien la aconsejó.

Era una mangosta, parecida a un gato pequeño en la piel y la cola, pero mucho más cercana a una comadreja en la cabeza y las costumbres. Los ojos y la punta de su hocico inquieto eran de color rosa; podía rascarse donde quisiera, con cualquier pata, delantera o trasera, que le apeteciera usar; podía inflar la cola hasta que pareciera un cepillo para limpiar botellas, y el grito de guerra que daba cuando iba correteando por las altas hierbas era:

—¡Rikk-tikk-tikki-tikki-tchk!

Un día, una de las grandes riadas de verano la sacó de la madriguera en que vivía con su padre y su madre, y la arrastró, pataleando y cloqueando, a una zanja al borde de la carretera. En ella flotaba un pequeño manojo de hierba al que se agarró hasta perder el sentido. Cuando revivió, estaba tumbada al calor del sol en mitad del sendero de un jardín, rebozada de barro, y un niño pequeño decía:

—Una mangosta muerta. Vamos a enterrarla.

—No —dijo su madre—, vamos a meterla dentro para secarla. Puede que no esté muerta.

La llevaron a la casa, y un hombre grande la cogió entre el índice y el pulgar y dijo que no estaba muerta, sino medio ahogada; con lo cual la envolvieron en algodón, le dieron calor, y ella abrió los ojos y estornudó.

—Ahora —dijo el hombre grande (era un inglés que se acababa de mudar al bungaló)— no la asustéis, y vamos a ver qué hace.

Asustar a una mangosta es lo más difícil del mundo, porque está llena de curiosidad, desde el hocico hasta la cola. El lema de la familia de las mangostas es: «Corre y entérate», y Rikki-tikki hacía honor a su raza. Miró el algodón, decidió que no era comestible, y se puso a dar vueltas alrededor de la mesa; se sentó, alisándose la piel y rascándose, y subió al hombro del niño de un salto.

—No te asustes, Teddy —dijo su padre—. Eso es que quiere hacerse amiga tuya.

—¡Ay! Me está haciendo cosquillas debajo de la barbilla —dijo Teddy.

Rikki-tikki se puso a mirar debajo del cuello de la camisa del niño, le olisqueó la oreja, y bajó por su cuerpo hasta el suelo, donde se sentó, restregándose el hocico.

—Pero ¡bueno! —dijo la madre de Teddy—. ¿Y esto es un animal salvaje? Será que se está portando bien porque hemos sido amables con él.

—Todas las mangostas son así —dijo su marido—. Si Teddy no la coge por la cola, o intenta meterla en una jaula, se pasará todo el día entrando y saliendo de la casa. Vamos a darle algo de comer.

Le dieron un trocito de carne cruda. A Rikki-tikki le gusto muchísimo y, al terminárselo, salió corriendo al porche, se sentó al sol y erizó la piel para que los pelos se le secaran hasta las raíces. Entonces empezó a sentirse mejor.

«En esta casa hay más cosas por descubrir —se dijo a sí misma— de las que mi familia vería en toda una vida. Pienso quedarme y enterarme de todo».

Se dedicó a dar vueltas por la casa durante el resto del día. Estuvo a punto de ahogarse en las bañeras, metió la nariz en el tintero que había encima de la mesa de escribir, y se la quemó con la punta del puro del hombre grande, porque se le había subido a las rodillas para ver cómo se escribía. Al anochecer se metió en el cuarto de Teddy para ver cómo se encendían las lámparas de parafina, y cuando Teddy se metió en la cama, Rikki-tikki hizo lo mismo; pero era un compañero muy inquieto, porque tenía que estar levantándose toda la noche, cada vez que oía un ruido, para ver de dónde venía. A última hora, la madre y el padre de Teddy entraron a echar un vistazo a su hijo, y Rikki-tikki estaba despierta encima de la almohada.

—Esto no me gusta —dijo la madre de Teddy—. Puede que muerda al niño.

—No va a hacer nada semejante —dijo el padre—. Teddy está más seguro con esa fierecilla que si tuviera a un sabueso vigilándolo. Si ahora mismo entrara una serpiente en este cuarto...

Pero la madre de Teddy no quería ni pensar en algo tan horrible. Por la mañana temprano, Rikki-tikki fue al porche a desayunar, montada sobre el hombro de Teddy, y le dieron un poco de plátano y de huevo pasado por agua; se fue sentando en las rodillas de todos, uno detrás de otro, porque todas las mangostas de buena familia aspiran a ser mangostas caseras algún día, y acabar teniendo habitaciones en las que poder correr, y la madre de Rikki-tikki (que había vivido en la casa del general, en Segowlee), le había explicado cuidadosamente a Rikki-tikki lo que tenía que hacer cuando se encontrara entre hombres blancos.

Después Rikki-tikki se fue al jardín para ver si había algo que mereciera la pena. Era un jardín grande, a medio cultivar, con arbustos igual de grandes que los cenadores hechos de rosales del mariscal Niel; limeros y naranjos, matas de bambú, y partes llenas de hierba alta.

—Esto es un coto de caza espléndido —dijo, y la cola se le infló, poniéndosele como un cepillo para limpiar botellas, nada más pensarlo, y correteó por todo el jardín, olisqueando por aquí y por allí hasta que oyó unas voces muy tristes que venían de un espino.

Era Darzee, el pájaro tejedor, y su mujer. Habían hecho un nido precioso juntando dos hojas grandes y cosiendo los bordes con fibras, llenándolo de algodón y pelusa parecida al plumón. El nido se balanceaba de un lado a otro, y ellos estaban sentados en el borde, llorando.

—¿Qué ocurre? —preguntó Rikki-tikki.

—Estamos desolados —dijo Darzee—. Uno de nuestros hijos se cayó del nido ayer, y Nag se lo comió.

—¡Hmm! —dijo Rikki-tikki—. Eso es muy triste..., pero yo no soy de aquí. ¿Quién es Nag?

Darzee y su mujer se limitaron a esconderse dentro del nido, sin contestar, porque de la hierba espesa que había al pie del arbusto salió un silbido sordo, un sonido frío y horrible que hizo a Rikki-tikki saltar hacia atrás medio metro. Entonces, centímetro a centímetro, fue saliendo de la hierba la cabeza y la capucha abierta de Nag, la enorme cobra negra, que medía casi dos metros desde la lengua hasta la punta de la cola. Cuando hubo levantado del suelo una tercera parte del cuerpo, se quedó balanceándose hacia delante y hacia atrás, exactamente igual que una mata de dientes de león bamboleándose al viento, y miró a Rikki-tikki con esos ojos tan malvados que tienen las serpientes, que nunca cambian de expresión, piensen en lo que piensen.

—¿Que quién es Nag? —dijo—. Yo soy Nag. El gran dios Brahma puso su marca sobre todas las de nuestra especie cuando la primera cobra abrió la capucha para protegerla del sol mientras dormía. ¡Mírame y tiembla!

Abrió la capucha más todavía y Rikki-tikki vio, en la parte de atrás, la marca que parece un par de anteojos, y que es exactamente igual que la parte de un corchete que se llama «hembra». Durante un instante tuvo miedo; pero es imposible que una mangosta esté asustada mucho tiempo, y aunque era la primera vez que Rikki-tikki veía una cobra viva, su madre lo había alimentado de cobras muertas, y sabía que el único deber de una mangosta adulta es cazar serpientes y comérselas. Nag también lo sabía, y en el fondo de su frío corazón tenía miedo.

—Bueno —dijo Rikki-tikki, y la cola se le volvió a inflar—, dejando a un lado lo de las marcas, te parece bonito comerse a las crías que se caen de los nidos?

Nag se había quedado pensativo, observando hasta el más mínimo movimiento que se produjera en la hierba detrás de Rikki-tikki. Sabía que si empezaba a haber mangostas en el jardín, acabaría significando una muerte segura para él y su familia, tarde o temprano, pero quería coger a Rikki-tikki desprevenida. Dejó caer un poco la cabeza hacia un lado.

—Hablemos —dijo—. Tú comes huevos. Y yo, ¿por qué no voy a poder comer pájaros?

—¡Detrás! ¡Mira detrás de ti! —cantó Darzee. Rikki-tikki era demasiado lista para perder el tiempo mirando.

Dio un salto hacia arriba, todo lo alto que pudo, y justo por debajo de ella pasó silbando la cabeza de Nagaina, la malvada esposa de Nag. Se había ido acercando sigilosamente por detrás, para acabar con la mangosta; y ésta la oyó soltar un susurro feroz al errar el golpe. Rikki-tikki cayó casi encima de su espalda y, de haber sido una mangosta vieja, hubiera

sabido que ése era el momento adecuado para romperle el espinazo de un mordisco; pero le dio miedo el terrible latigazo que da la cobra con la cola para defenderse. Mordió, eso sí, pero no durante el tiempo suficiente, y esquivó la sacudida de la cola, dejando a Nagaina herida y furiosa.

—¡Darzee! ¡Malvado! ¡Malvado! —dijo Nag, serpenteando hacia arriba lo más alto que pudo, intentando llegar al nido que había en el espino.

Pero Darzee lo había construido fuera del alcance de una serpiente, y solo consiguió bambolearlo.

Rikki-tikki se dio cuenta de que los ojos se le estaban poniendo rojos y le ardían (cuando a una mangosta se le ponen los ojos rojos, está enfadada), y se sentó, apoyándose en la cola y las patas traseras, como un canguro pequeño, mirando a su alrededor y temblando de rabia. Pero Nag y Nagaina ya habían desaparecido entre la hierba. Cuando una serpiente falla el golpe, nunca dice nada, ni da pistas sobre lo siguiente que va a hacer. Rikki-tikki no tenía el menor interés en seguirlas, porque no estaba segura de poder ocuparse de dos serpientes a la vez. Correteó hacia el sendero de gravilla que había junto a la casa, y se sentó a pensar. Aquél era un asunto serio.

Si cogéis un libro antiguo de historia natural, leeréis que cuando una mangosta recibe un mordisco de una serpiente en una pelea, se va corriendo a comer unas hierbas que la curan. Esto no es verdad. La victoria consiste en una cuestión de velocidad, tanto de ojos como de pies; se trata del golpe de la serpiente contra el salto de la mangosta; y como no hay ojo capaz de seguir el movimiento de la cabeza de una serpiente al atacar, esto hace que las cosas ocurran de un modo mucho más maravilloso que si se tratara de hierbas mágicas. Rikki-tikki era consciente de ser una mangosta joven, y precisamente por ello, estaba muy satisfecha de haber esquivado un ataque por la espalda. Le dio confianza en sí misma, y cuando Teddy se acercó corriendo por el sendero, Rikki-tikki estaba dispuesta a dejarse acariciar.

Pero justo en el momento en que Teddy se agachaba, algo dio un respingo en el polvo, y su vocecita dijo:

—¡Cuidado! ¡Soy la muerte!

Era Karait, la culebra diminuta de color marrón polvoriento, que se mete en la arena adrede, y cuyo mordisco es tan peligroso como el de la cobra. Además, es tan pequeña que nadie piensa en ella, con lo cual resulta más dañina.

A Rikki-tikki se le volvieron a poner los ojos rojos, y se acercó bailoteando hasta Karait, con aquel contoneo tan peculiar que había heredado de su familia. Parece muy gracioso, pero es un movimiento tan equilibrado que permite despegar de un salto desde el ángulo que se quiera; y tratándose de serpientes, eso es una gran ventaja. Lo que Rikki-tikki no sabía es que estaba haciendo algo mucho más peligroso que luchar con Nag, porque Karait es tan pequeña y puede retorcerse con tanta agilidad, que a no ser que la mordiera cerca del cogote, recibiría el latigazo en un ojo o en el hocico. Pero Rikki no lo sabía: tenía los ojos ensangrentados y se balanceaba hacia delante y hacia atrás, buscando un buen sitio donde atacar. Karait se lanzó hacia ella. Rikki saltó a un lado y trató de echarse encima de la culebra, pero la cabecita malvada de color gris polvoriento la embistió, casi rozándole el hombro, y tuvo que saltar por encima, con la cabeza de la serpiente pegada a sus patas.

Teddy se volvió hacia la casa, gritando:

—¡Mirad! ¡Nuestra mangosta está matando una serpiente!

Rikki-tikki oyó un grito de la madre de Teddy. Su padre salió corriendo con un palo, pero, en el tiempo que tardó en llegar, Karait había dado una embestida mal calculada;

Rikki-tikki se lanzó, cayó encima de la serpiente, metió la cabeza todo lo lejos que pudo entre sus patas delanteras, mordió lo más cerca de la cabeza que llegó, y se alejó rodando. Aquel mordisco dejó a Karait paralizada, y Rikki-tikki estaba a punto de devorarla empezando por la cola, siguiendo la costumbre de su familia a la hora de la comida, cuando se acordó de que un estómago lleno equivale a una mangosta llena, y si quería conservar toda su fuerza y agilidad, tendría que procurar estar delgada.

Se alejó para darse un baño bajo las matas de aceite de ricino, mientras el padre de Teddy golpeaba a Karait, ya muerta.

«¿De qué sirve eso? —pensó Rikki-tikki—. Si yo ya lo he solucionado todo».

Y entonces la madre de Teddy la levantó del polvo y la abrazó, exclamando que había salvado la vida de su hijo, y el padre de Teddy dijo que era un hecho providencial, y Teddy puso cara de susto, abriendo mucho los ojos. Rikki-tikki estaba bastante divertida con todo el alboroto aquel, que, por supuesto, no entendía.

Le hubiera dado igual que la madre de Teddy la hubiera acariciado por jugar en el polvo. Rikki lo estaba pasando estupendamente.

Aquella noche, durante la cena, mientras se paseaba entre los vasos de vino de la mesa, podía haber comido el triple de cosas buenas; pero se acordó de Nag y Nagaina, y aunque era muy agradable recibir caricias de la madre de Teddy y sentarse en el hombro del niño, de vez en cuando se le enrojecían los ojos, y lanzaba su largo grito de guerra:

—¡Rikk-tikk-tikki-tikki-tchk!

Teddy se la llevó a la cama con él, e insistió en que Rikki-tikki durmiera bajo su barbilla. Rikki-tikki estaba demasiado bien educada para morder o arañar, pero en cuanto Teddy se durmió, fue a darse su paseo nocturno por la casa, y en mitad de la oscuridad se encontró con Chuchundra, la rata almizclera, correteando pegada a la pared. Chuchundra es un animalillo que vive desconsolado. Se pasa toda la noche lloriqueando y haciendo gorgoritos, intentando decidirse a salir al centro de la habitación, pero nunca consigue llegar.

—No me mates —dijo Chuchundra, casi sollozando—. Rikki-tikki, no me mates.

—¿Tú crees que el que mata serpientes mata ratas almizcleras? —preguntó Rikki-tikki desdeñosamente. —Los que matan serpientes son matados por serpientes —dijo Chuchundra, con más desconsuelo que nunca—. ¿Y cómo voy a estar segura de que Nag no me confunda contigo en una noche oscura?

—No hay ningún peligro —dijo Rikki-tikki—; además, Nag está en el jardín, y sé que tú no sales nunca.

—Mi prima Chua, la rata, me ha dicho... —dijo Chuchundra, y se detuvo.

—¿Te ha dicho qué?

—¡Sssh! Nag está en todas partes, Rikki-tikki. Deberías haber hablado con Chua en el jardín.

—Pues no he hablado con ella..., así que tienes que decírmelo tú. ¡Rápido, Chuchundra, o te doy un mordisco!

Chuchundra se sentó y empezó a llorar, hasta que las lágrimas le empaparon el bigote.

—Soy una pobre desgraciada —sollozó—. Nunca he tenido el suficiente valor para salir al centro de la habitación. ¡Sssh! Es mejor que no te diga nada. ¿No oyes algo, Rikki-tikki?

Rikki-tikki se puso a escuchar. La casa estaba en silencio absoluto, pero le pareció oír un rac-rac muy apagado (un ruido tan suave como el que hace una avispa al andar por el cristal de una ventana), el roce de las escamas de una serpiente arrastrándose sobre unas baldosas.

«Es Nag o Nagaina —se dijo a sí misma—y está deslizándose por la compuerta del cuarto de baño. Tienes razón, Chuchundra; debería haber hablado con Chua».

Se dirigió sigilosamente al cuarto de baño de Teddy, pero no había nadie; después fue al cuarto de baño de la madre de Teddy. Al pie de una de las paredes de yeso, había un ladrillo levantado para que sirviera de compuerta de salida del agua, y Rikki-tikki, al pasar junto al borde de ladrillos en que va encajada la bañera, oyó a Nag y Nagaina cuchicheando fuera, a la luz de la luna.

—Cuando no quede gente en la casa —decía Nagaina a su marido—, se tendrá que ir, y entonces volveremos a tener el jardín para nosotros solos. No hagas ruido al entrar, y recuerda que el hombre que mató a Karait es el primero a quien hay que morder. Luego sal a contármelo, y buscaremos a Rikki-tikki los dos juntos.

—Pero ¿estás segura de que matar a la gente tiene alguna ventaja? —dijo Nag.

—Por supuesto. Cuando no había gente en la casa, ¿teníamos una mangosta en el jardín? Mientras el bungaló esté vacío, seremos el rey y la reina del jardín; y recuerda que, cuando se abran los huevos que hemos puesto en el melonar (cosa que puede ocurrir mañana), a los pequeños les va a hacer falta más espacio y tranquilidad.

—No había pensado en eso —dijo Nag—. Iré, pero no es necesario que busquemos a Rikki-tikki después. Voy a matar al hombre grande y a su mujer, y al niño si puedo, y a irme tranquilamente. Entonces el bungaló estará vacío, y Rikki-tikki se irá.

Rikki-tikki notó un cosquilleo por todo el cuerpo al oír esto, y le entró rabia y odio; entonces apareció la cabeza de Nag por la compuerta, con sus casi dos metros de cuerpo helado detrás.

Aunque estaba indignada, Rikki-tikki se asustó mucho al ver el tamaño de la enorme cobra. Nag se enroscó, levantó la cabeza, y miró al interior del cuarto de baño en la oscuridad, y Rikki vio cómo le brillaban los ojos.

—Bueno..., si lo mato aquí, Nagaina se enterará; y si lucho con él en mitad de una habitación, todas las probabilidades están a su favor. ¿Qué debo hacer? —dijo Rikki-tikki-tavi.

Nag se balanceó hacia delante y hacia atrás, y entonces Rikki-tikki lo oyó beber del jarrón de agua más grande, que se usaba para llenar el baño.

—Qué buena —dijo la serpiente—. A ver..., cuando mataron a Karait, el hombre grande llevaba un palo. Puede que aún lo tenga, pero cuando venga a bañarse por la mañana, no lo traerá. Voy a esperar aquí hasta que entre. Nagaina..., ¿me oyes? Voy a esperar aquí, al fresco, hasta que llegue el día.

No hubo contestación desde fuera, por lo que Rikki-tikki supo que Nagaina se había marchado. Nag enroscó sus anillos, uno a uno, alrededor de la parte más ancha del jarrón, y Rikki-tikki se quedó tan quieta como un muerto. Al cabo de una hora empezó a moverse, músculo tras músculo, hacia el jarrón. Nag estaba dormido, y Rikki-tikki contempló su inmensa espalda, pensando en cuál sería el mejor sitio para dar un mordisco.

—Si no le parto el espinazo al primer salto, podrá seguir luchando, y, como luche..., ¡ay, Rikki!

Se fijó en la parte más gruesa del cuello, debajo de la capucha, pero no iba a poder con aquello; y si le mordía en la cola, solo conseguiría enfurecer a Nag.

—Tendrá que ser en la cabeza —dijo finalmente—; en la cabeza, por encima de la capucha, y una vez que esté ahí, no debo soltar.

Entonces se lanzó. La cabeza estaba algo separada del jarrón, por debajo de la curva; y al juntar las dos filas de dientes,

Rikki-tikki apoyó la espalda en el bulto que tenía la pieza de cerámica roja, para tener mejor sujeta su presa. Esto le dio solo un segundo de ventaja, y lo usó al máximo. Después se vio zarandeada de un lado a otro, como una rata cogida por un perro..., de aquí para allá sobre el suelo, de arriba abajo, y dando vueltas, haciendo grandes círculos; pero tenía los ojos rojos y siguió agarrada mientras el cuerpo se convulsionaba por el suelo, tirando el bote de hojalata, la jabonera, el cepillo para la piel; y se golpeó contra las paredes metálicas del baño. Mientras seguía aferrada, iba mordiendo cada vez con más fuerza, porque estaba segura de que iba a morir a golpes, y por el honor de la familia, prefería que la encontraran con los dientes bien apretados. Estaba mareada, dolorida, y le parecía estar hecha pedazos cuando, de repente, algo estalló como un trueno justo detrás de ella; un viento caliente la dejó sin sentido y un fuego muy rojo le quemó la piel. El hombre grande se había despertado con el ruido, y había disparado los dos cañones de una escopeta recortada justo detrás de la capucha de Nag.

Rikki-tikki siguió sin soltarse, con los ojos cerrados, porque ahora sí que estaba completamente segura de haber muerto; pero la cabeza no se movió, y el hombre la levantó en el aire y dijo:

—Aquí tenemos a la mangosta otra vez, Alice; ahora nuestra amiga nos ha salvado la vida a nosotros.

Entonces entró la madre de Teddy, con una cara muy blanca, y vio los restos de Nag; y Rikki-tikki fue arrastrándose hasta el cuarto de Teddy y pasó la mitad de la noche sacudiéndose suavemente para ver si era verdad que estaba rota en cuarenta pedazos como se imaginaba.

Al llegar la mañana, casi no podía moverse, pero estaba muy satisfecha de sus hazañas.

—Ahora tengo que arreglar cuentas con Nagaina, y va a ser peor que cinco Nags, y además, no hay manera de saber cuándo van a empezar a abrirse los huevos de los que hablaba. ¡Caramba! Tengo que hablar con Darzee —dijo.

Sin esperar al desayuno, Rikki-tikki fue corriendo al espino, donde encontró a Darzee cantando una canción triunfal a pleno pulmón. Las noticias de la muerte de Nag se habían extendido por todo el jardín, porque el hombre que barría la casa había arrojado el cuerpo al estercolero.

—¡Bah, estúpido montón de plumas sin seso! —dijo Rikki-tikki enfurecida—. ¿Crees que es éste momento para ponerse a cantar?

—¡Nag está muerto..., muerto..., muerto! —cantó Darzee—. La valiente Rikki-tikki lo agarró por la cabeza y no lo soltó. ¡El hombre grande trajo el palo que hace ruido, y Nag quedó partido en dos! No volverá a comerse a mis pequeños.

—Todo eso es cierto; pero ¿dónde está Nagaina? —dijo Rikki-tikki, mirando cuidadosamente a su alrededor.

—Nagaina llegó a la compuerta del cuarto de baño y llamó a Nag —siguió Darzee—. Y Nag salió colgado de un palo, porque el hombre que barre le cogió así y lo tiró al estercolero. ¡Cantemos a la gran Rikki-tikki, la de los ojos rojos! —Y Darzee hinchó el cuello y cantó.

—¡Si pudiera llegar a tu nido, echaría al suelo a todas tus crías! —dijo Rikki-tikki-. No sabes lo que hay que hacer, ni cuándo hacerlo. Tú estarás muy seguro ahí arriba, en tu nido, pero yo estoy en plena guerra. Deja de cantar un minuto, Darzee.

—Por complacer a la grande y hermosa Rikki-tikki, pararé —dijo Darzee—. ¿Qué quieres, justiciera de Nag, el Terrible?

—Por tercera vez, ¿dónde está Nagaina?

—En el estercolero, junto a los establos, llorando la muerte de Nag. ¡Qué grande es Rikki-tikki, la de los dientes blancos!

—¡Vete a paseo con mis dientes blancos! ¿Sabes dónde guarda sus huevos?

—En el melonar, en el lado que está más cerca de la pared, donde da el sol durante todo el día. Los escondió allí hace semanas ya.

—¿Y no se te había ocurrido que sería buena idea contármelo? ¿En el lado que está más cerca de la pared, has dicho?

—Rikki-tikki, ¡no irás a comerte los huevos!

—No; a comérmelos, precisamente, no. Darzee, si tienes una pizca de sentido común, irás volando a los establos y harás como si se te hubiera roto un ala, dejando que Nagaina te persiga hasta este arbusto. Yo tengo que llegar al melonar, pero si voy ahora, me va a ver.

Darzee era un animalillo con la cabeza llena de serrín, incapaz de tener en el cerebro más de una idea a la vez; y solo porque sabía que los hijos de Nagaina nacían de huevos, igual que los suyos, le parecía injusto matarlos. Pero su esposa era un pájaro sensato, y sabía que los huevos de cobra significaban cobras jóvenes al cabo de algún tiempo; por eso salió volando del nido, dejando que Darzee se quedara dando calor a los pequeños y cantando sobre la muerte de Nag. Darzee se parecía bastante a un hombre en algunas cosas.

Ella se puso a revolotear delante de Nagaina, junto al estercolero, y gritó:

—¡Ay, tengo un ala rota! El niño de la casa me ha tirado una piedra y me la ha roto.

Y empezó a revolotear aún más desesperadamente. Nagaina levantó la cabeza y siseó:

—Tú avisaste a Rikki-tikki cuando yo iba a matarla. Y, la verdad sea dicha, has cogido un sitio muy malo para ponerte a cojear.

Y avanzó hacia la esposa de Darzee, deslizándose sobre el polvo.

—¡El niño me la ha roto con una piedra! —chilló la mujer de Darzee.

—Bueno, pues puede que te sirva de consuelo saber que, cuando estés muerta, yo arreglaré cuentas con ese niño. Mi marido yace en el estercolero esta mañana, pero antes de que caiga la noche, el niño de la casa también yacerá inmóvil. ¿De qué sirve intentar escapar? Te voy a coger de todas formas. ¡Tonta! ¡Mírame!

La mujer de Darzee era demasiado lista para hacerle caso, porque un pájaro que mira a una serpiente a los ojos se queda tan asustado que no puede moverse. La esposa de Darzee siguió revoloteando y piando quejumbrosamente, sin apartarse del suelo en ningún momento, y Nagaina empezó a avanzar a mayor velocidad.

Rikki-tikki las oyó subiendo por el sendero desde los establos, y se apresuró hacia el lado del melonar que estaba más cerca de la pared. Allí, en una cama de paja, hábilmente ocultos entre los melones, encontró veinticinco huevos más o menos del tamaño de los de una gallina de Bantam, pero cubiertos de piel blanquecina en lugar de cáscara.

—Menos mal que he venido hoy —dijo.

Y es que ya se veían, a través de la piel, unas cobras diminutas y enroscadas, y Rikki-tikki sabía que en cuanto rompieran los huevos, ya tendrían fuerza para matar a un hombre o a una mangosta. Fue mordiendo la punta de cada huevo a toda velocidad, asegurándose de aplastar las cobritas y removiendo la paja de vez en cuando, para ver si había pasado por alto alguna. Finalmente, quedaron solo tres huevos, y Rikki-tikki soltó una carcajada de alegría; pero en ese momento, oyó a la mujer de Darzee gritando:

—Rikki-tikki, he llevado a Nagaina hacia la casa, y ha subido al porche y, ay, ven corriendo... ¡Va a matar!

Rikki-tikki aplastó dos huevos y rodó hacia atrás por el melonar, con el tercer huevo en la boca, dirigiéndose hacia el porche todo lo deprisa que le permitían las patas. Teddy, su padre, y su madre, estaban sentados a la mesa para desayunar, pero Rikki-tikki vio que no estaban comiendo nada. Parecían estatuas, y tenían las caras blancas. Nagaina estaba enroscada sobre la estera, junto a la silla de Teddy, tan cerca de la pierna desnuda del niño, que podía lanzarse sobre ella sin ningún esfuerzo; y se balanceaba hacia delante y hacia atrás, cantando una canción triunfal.

—Hijo del hombre grande que mató a Nag —siseó—, no te muevas. Aún no estoy preparada. Espera un poco. Quedaos muy quietos, los tres. Si os movéis, ataco, y si no os movéis, también ataco. ¡Ay, esta gente estúpida, que mató a mi Nag...!

Teddy no apartaba los ojos de su padre, y éste no podía hacer más que susurrar:

—Estate quieto, Teddy. No te muevas. Teddy, estate quieto.

Entonces se acercó Rikki-tikki y gritó:

—Date la vuelta, Nagaina. ¡Date la vuelta y lucha!

—Cada cosa a su tiempo —dijo ella, sin mover los ojos—. Voy a arreglar cuentas contigo enseguida. Mira a tus amigos, Rikki-tikki. Están quietos y blancos; tienen miedo. No se atreven a moverse, y si tú te acercas un paso más, los atacaré.

—Ve a ver tus huevos —dijo Rikki-tikki —en el melonar, junto a la pared. Ve a mirar, Nagaina.

La inmensa serpiente se volvió a medias y vio el huevo encima del porche.

—¡Aah! Dámelo —dijo.

Rikki-tikki puso las patas una a cada lado del huevo; tenía los ojos ensangrentados.

—¿Cuál es el precio de un huevo de serpiente? ¿Y el de una cobra joven? ¿Y el de una cobra gigante joven? ¿Y el de la última..., la ultimísima de una nidada? Las hormigas se están comiendo las demás ahí abajo, en el melonar.

Nagaina giró en redondo, olvidándose de todo por aquel único huevo; y Rikki-tikki vio cómo el brazo del padre de Teddy salía disparado, agarraba al niño por el hombro, y lo pasaba por encima de la mesa y de las tazas de té, poniéndolo fuera del alcance de Nagaina.

—¡Te lo has creído! ¡Te lo has creído! ¡Te lo has creído! ¡Rikktck-tck! —se carcajeó Rikki-tikki—. El niño está a salvo y fui yo... yo, yo... quien cogió a Nag por la capucha ayer por la noche, en el cuarto de baño.

Y empezó a dar saltos, con las cuatro patas juntas y la cabeza mirando hacia el suelo.

—Me sacudió hacia todos los lados, pero no logró librarse de mí. Estaba muerto antes de que el hombre grande lo volara en pedazos. Fui yo. ¡Rikki-tikki-tck-tck! Anda, ven, Nagaina. Ven a luchar conmigo. Ya te queda poco de ser viuda.

Nagaina comprendió que había perdido su oportunidad de matar a Teddy, y que el huevo estaba entre las patas de Rikki-tikki.

—Dame el huevo, Rikki-tikki. Dame el último de mis huevos, y me iré y no volveré jamás —dijo ella, bajando la capucha.

—Sí, te irás y no volverás nunca, porque vas a acabar en el estercolero, con Nag. ¡Lucha, viuda! ¡El hombre grande ha ido a buscar su escopeta! ¡Lucha!

Rikki-tikki daba saltos alrededor de Nagaina sin parar, manteniéndose justo fuera de su alcance, y sus ojillos parecían un par de brasas. Nagaina se replegó sobre sí misma, y salió disparada hacia ella. Rikki-tikki saltó hacia arriba y hacia atrás. Una, y otra, y otra vez, volvió a atacarla, y su cabeza siempre iba a parar contra la estera que cubría el porche, golpeándose con fuerza; y Nagaina volvía a replegarse contra sí misma, como el muelle de un reloj. Entonces Rikki-tikki bailoteó describiendo un círculo, para ponerse detrás de ella, y Nagaina giró en redondo, para no perderla de vista, y el roce de su cola contra la estera era igual que el de unas hojas secas arrastradas por el viento.

Rikki-tikki se había olvidado del huevo. Seguía encima del porche, y Nagaina se fue acercando a él poco a poco, hasta que finalmente, mientras Rikki-tikki recuperaba el aliento, lo cogió en la boca, se volvió hacia las escaleras del porche, y bajó por el sendero como una flecha. Cuando una cobra corre para salvar la vida, va igual de deprisa que un latigazo atravesando el cuello de un caballo. La mangosta sabía que, si no la cazaba, todos los problemas volverían a empezar. La serpiente enfiló hacia la hierba alta que había junto al espino, y Rikki-tikki, mientras corría, oyó que Darzee seguía cantando aquella canción triunfal tan tonta. Pero la esposa de Darzee era más lista. Salió volando del nido al ver aparecer a Nagaina, y empezó a revolotear alrededor de la cabeza de la serpiente. Si Darzee la hubiera ayudado, puede que hubieran logrado que se volviera; pero Nagaina no hizo más que agachar la capucha y seguir adelante. Aun así, ese instante de retraso permitió que Rikki-tikki llegara hasta ella, y cuando se metió en la ratonera en que había vivido con Nag, la mangosta había logrado clavarle los dientes blancos en la cola; y bajó tras ella..., aunque hay muy pocas mangostas, por viejas y astutas que sean, que se atrevan a seguir a una cobra al interior de su agujero. Éste estaba muy oscuro, y Rikki-tikki no sabía si se ensancharía de repente, dando a Nagaina sitio suficiente para volverse y atacarla. Se agarró con fuerza y clavó las patas para que sirvieran de frenos en aquella cuesta oscura de tierra húmeda.

Entonces la hierba que rodeaba la entrada del agujero dejó de moverse, y Darzee dijo:

—Ya ha terminado todo para Rikki-tikki. Cantemos un himno a su muerte. ¡La valiente Rikki-tikki ha muerto! No hay duda de que Nagaina la matará bajo tierra.

Empezó a cantar una canción muy triste que se inventó en ese mismo momento, y justo cuando llegó a la parte más conmovedora, la hierba empezó a moverse otra vez, y Rikki-tikki, cubierta de barro, se arrastró fuera del agujero, sacando las patas de una en una y relamiéndose los bigotes. Darzee se detuvo, dando un gritito. Rikki-tikki se sacudió, quitándose una parte del polvo que tenía en la piel, y estornudó.

—Todo ha terminado —dijo—. La viuda ya no volverá a salir. Las hormigas rojas que viven entre los tallos de hierba lo oyeron, y desfilaron hacia el interior, para ver si era verdad lo que había dicho.

Rikki-tikki se hizo un ovillo sobre la hierba y cayó dormida allí mismo... Durmió y durmió hasta muy entrada la tarde, porque había tenido un día muy agitado.

—Ahora —dijo al despertarse—, voy a volver a la casa. Cuéntaselo al herreruelo, Darzee, que ya se encargará él de informar a todo el jardín sobre la muerte de Nagaina.

El herreruelo es un pájaro que hace un ruido exactamente igual al de un martillo pequeño repicando sobre un caldero de cobre; y no para de hacerlo, porque es el pregonero de todos los jardines indios, y va contando las últimas noticias a todo aquel que quiera oírlas. Mientras Rikki-tikki subía por el sendero, oyó las notas que siempre daba al principio, para pedir atención, como las de una campanilla avisando que ya está lista la comida; y después, un continuo «¡Din-don-toc!, Nag ha muerto... ¡Don!, ¡Nagaina ha muerto!, ¡din-don-toc!». Al oírlo, todos los pájaros del jardín se pusieron a cantar, y las ranas a croar; porque Nag y Nagaina comían ranas, además de pájaros.

Cuando Rikki llegó a la casa, Teddy, la madre de Teddy (que aún estaba muy blanca, porque se había desmayado) y el padre de Teddy, salieron y casi se pusieron a llorar encima de ella; y aquella noche comió todo lo que le dieron, hasta que ya no pudo más, y se fue a dormir montada en el hombro de Teddy, y allí estaba cuando su madre fue a echarle un vistazo a última hora.

—Nos ha salvado la vida, y a Teddy también —dijo a su marido—. ¡Fíjate! ¡Nos ha salvado la vida a todos!

Rikki-tikki se despertó, dando un respingo, porque todas las mangostas tienen el sueño ligero.

—Ah, sois vosotros —dijo—. ¿De qué os preocupáis tanto? Todas las cobras están muertas, y si queda alguna, aquí estoy yo.

Rikki-tikki tenía razón en sentirse orgullosa de sí misma, pero no se volvió engreída, y cuidó del jardín como debe hacerlo una mangosta, a base de diente, salto, embestida, y mordisco, hasta que no quedó una cobra que se atreviera a asomar la cabeza entre aquellas cuatro paredes.

Cántico de Darzee

(Canción en honor de Rikki-tikki-tavi)

Soy cantante y tejedor:
tengo esa doble alegría.
Es un orgullo volar
y tejerme la casita.
Yo la música me tejo, tejo también mi casita.

Canta con fuerza a tus hijos,
¡alza la cabeza, madre!
La plaga llegó a su fin:
la Muerte en el jardín yace.
El terror que nos acecha, muerto en el estiércol yace.

¿Quién nos ha librado? ¿Quién?
Decid su nombre y su nido:
Rikki-tikki, la valiente,
la de los ojos tan vivos.
Rikki, dientes de marfil, cazadora de ojos vivos.

Dadle, pájaros, las gracias.
Decidle —olas al viento—
palabras de ruiseñor...
No, yo lo haré con más fuego.
¡Ésta es la canción de Rikki, la de los ojos de fuego!

(Aquí interrumpió Rikki-tikki, y el resto de la canción se ha perdido).

TOOMAI EL DE LOS ELEFANTES

Recuerdo lo que fui; no quiero estas cadenas.
Entonces yo era fuerte, eran épocas buenas.
No venderé mi espalda por un plato de azúcar;
volveré con los míos al monte y la llanura.

Tengo que huir de aquí antes que llegue el alba,
sentir del viento el beso, la caricia del agua;
olvidar las cadenas que me quitan el sueño,
volver a mis querencias, mis amigos ¡sin dueño!

Kala Nag, que quiere decir «serpiente negra», había servido al Gobierno de la India, haciendo todo cuanto puede hacer un elefante, durante cuarenta y siete años; y como tenía veinte bien cumplidos cuando lo cazaron, ya tenía cerca de setenta años..., una edad madura para un elefante. Se acordaba de haber empujado, con un gran cojín de cuero en la frente, un cañón que se había quedado atascado en el barro, y eso fue antes de la guerra de Afganistán de 1842, y aún no había llegado a su máxima potencia física. Su madre, Radha Pyari (Radha la favorita), a quien habían cogido en la misma cacería que a Kala Nag, le dijo antes de que se le cayeran los colmillos de leche que los elefantes que tienen miedo siempre acaban heridos; y Kala Nag había comprobado que era un buen consejo, porque la primera vez que vio estallar una granada, retrocedió, gritando, y chocó con unos fusiles que estaban amontonados, clavándose las bayonetas en todos los sitios blandos del cuerpo. Por tanto, antes de llegar a los veinticinco, decidió dejar de tener miedo, y a partir de entonces fue el elefante más querido y mimado de todos los que había al servicio del Gobierno de la India. Había cargado tiendas de campaña, seiscientos kilos de tiendas, en la marcha por la India septentrional; lo metieron en un barco, izándolo por los aires en el extremo de una grúa de vapor, y navegó durante días y días, para después hacerle llevar un mortero sobre la espalda en un país extraño y rocoso que estaba muy lejos de la India; había visto al emperador Teodoro muerto en Magdala, y había regresado en el buque, mereciéndose, según los soldados, la medalla de la guerra de Abisinia. Había visto a otros elefantes, compañeros suyos, morirse de frío, epilepsia, inanición e insolación en un sitio alto llamado Ali Musjid, diez años después; y más adelante lo habían enviado al sur, a miles de kilómetros, para cargar y amontonar grandes vigas de madera de teca en los almacenes de Moulmein. Allí dejó medio muerto a un elefante joven e insubordinado que no estaba cumpliendo con su parte correspondiente del trabajo.

Después de dejar de acarrear madera lo pusieron, junto con algunas veintenas de elefantes ya acostumbrados al oficio, a ayudar a cazar elefantes salvajes en las colinas de Garo. El Gobierno indio trata con mucho cuidado a los elefantes. Hay un ministerio entero que se dedica exclusivamente a cazarlos, cogerlos, domarlos y mandarlos de un lado a otro del país cuando los necesitan para algún trabajo.

Kala Nag medía tres metros de altura, y le habían cortado los colmillos, que dejaron con una longitud de un metro y medio, y les pusieron un remache de cobre en la punta para que no se partieran; pero él podía hacer más con aquellos colmillos cortados que cualquier elefante no adiestrado con los suyos enteros y afilados.

Cuando, después de semanas y semanas de vigilar y acorralar elefantes desperdigados por las colinas, los cuarenta o cincuenta monstruos feroces ya estaban metidos en la última empalizada, y la puerta enorme, hecha de troncos atados, caía en su sitio ruidosamente detrás de ellos, seguía las órdenes de una voz, entraba en ese pandemonio chillón y trompeteante (generalmente de noche, cuando la llama vacilante de las antorchas hacía difícil calcular las distancias) y, eligiendo al elefante más grande y salvaje, el que tuviera los colmillos más largos, lo golpeaba y empujaba hasta hacerlo callar, mientras los hombres, montados encima del resto de los animales, lanzaban cuerdas sobre los más pequeños y los ataban.

En cuanto a las luchas, no había nada que Kala Nag, la Serpiente Negra vieja y sabia, no supiera, porque en sus buenos tiempos había resistido más de una vez el ataque de un tigre herido y, levantando la trompa blanda para dejarla fuera de peligro, había golpeado a la bestia hacia un lado, cogiéndola en mitad del salto con un movimiento de cabeza rápido, semejante al de una hoz cortando, que él mismo había inventado; luego lo dejaba tumbado en el suelo, se arrodillaba encima, y dejaba allí sus rodillas inmensas hasta que la vida abandonaba el cuerpo del tigre, que soltaba un suspiro y aullaba; y allí quedaba simplemente algo peludo y rayado que Kala Nag se llevaba, arrastrándolo por la cola.

—Sí —dijo Toomai el mayor, su cornaca,° el hijo de Toomai el Negro, que se lo llevó a Abisinia, y nieto de Toomai el de los elefantes, que había visto cómo lo cazaban—, no hay nada que logre asustar a Serpiente Negra, excepto yo. Ha tenido a tres generaciones de nuestra familia alimentándolo y cuidándolo, y aún vivirá para ver a la cuarta.

—A mí también me teme —dijo Toomai el pequeño, poniéndose de pie para mostrar toda su altura, que era poco más de un metro; llevaba un trapo como única vestimenta. Tenía diez años, era el primogénito de Toomai el mayor, y según la costumbre, ocuparía el lugar de su padre sobre el cuello de Kala Nag cuando creciera, y manejaría el *ankus*°°

°   Hombre que doma, guía y cuida un elefante, en Asia y, principalmente, en la India.

°°   Lanza afilada, con un gancho en la punta, que se usa, sobre todo en la India, para aguijar y guiar a los elefantes.

de hierro, la aguijada de gran peso cuya punta habían ido gastando su padre, su abuelo y su bisabuelo. El chico no había dicho ninguna tontería, porque había nacido bajo la sombra de Kala Nag, había jugado con la punta de su trompa antes de saber andar y, en cuanto supo, fue él quien lo llevaba a beber, y a Kala Nag jamás se le hubiera pasado por la cabeza desobedecer las órdenes que le daba aquella vocecita aguda, como tampoco se le hubiera ocurrido jamás matarlo el día en que Toomai el mayor puso al recién nacido pequeño y moreno bajo los colmillos de Kala Nag, diciéndole que saludara a su futuro amo.

—Sí —dijo Toomai el pequeño—, a mí me teme.

Y se acercó a Kala Nag dando grandes zancadas, lo llamó «cerdo viejo y gordo», y le hizo levantar las patas, una tras otra.

—¡Uah! —dijo Toomai el pequeño—. Sois un elefante muy grande. —Y asintió con su cabeza peluda, repitiendo las palabras de su padre—. Puede que el Gobierno nos pague por los elefantes, pero son nuestros, de los *mahouts.*°

Cuando seáis mayor, Kala Nag, vendrá un rajá rico y os comprará al Gobierno, por vuestro tamaño y buena educación, y a partir de entonces, ya no tendréis nada que hacer más que llevar pendientes de oro en las orejas, y un baldaquino dorado en la espalda, y una tela roja sobre los flancos, también cubierta de oro, e iréis al frente de las procesiones del rey. Entonces, Kala Nag, yo iré sentado en vuestro cuello, con un *ankus* de plata en la mano, y habrá unos hombres con bastones de oro delante de nosotros, y gritarán: «¡Abran paso al elefante del rey!». Eso será bonito, Kala Nag, pero no tan bonito como nuestras cacerías en las selvas.

°   Cornaca.

—¡Bah! —dijo Toomai el mayor—. No sois más que un niño, y tan salvaje como un búfalo joven. Esto de correr monte arriba y monte abajo no es el mejor de los servicios para el Gobierno. Yo me estoy haciendo viejo, y los elefantes salvajes no me apasionan. A mí, que me den establos de ladrillo, con una cuadra para cada elefante, y estacas grandes para tenerlos bien atados, y caminos lisos y anchos para que puedan hacer sus ejercicios, en vez de estar acampando por aquí y por allí. Ay, los cuarteles de Cawnpore sí que eran buenos. Había un bazar cerca, y solo se trabajaba tres horas al día.

Toomai el pequeño se acordó de los cuarteles de Cawnpore, y no dijo nada. A él le gustaba mucho más la vida de los campamentos, y odiaba aquellos caminos anchos y lisos, y tener que ir todos los días a forrajear en los pastos, y las horas interminables en que no había nada que hacer más que ver a Kala Nag impacientarse por estar atado a una estaca.

Lo que le gustaba a Toomai el pequeño era trepar por los caminos de herradura que solo un elefante era capaz de seguir; la bajada hacia el valle; entrever a los elefantes salvajes que pastaban a kilómetros de distancia; la carrera del jabalí y del pavo real, que corrían despavoridos ante las patas de Kala Nag; las lluvias calientes, cegadoras, que hacían humear todos los montes y los valles; las hermosas mañanas cubiertas de niebla en que nadie sabía dónde acabarían acampando esa noche; la persecución de los elefantes salvajes, constante y cautelosa; la carrera alocada, las fogatas y el barullo de la última noche de caza, cuando los elefantes entraban a la empalizada en tropel, como rocas en un desprendimiento, y al darse cuenta de que no podían salir, se lanzaban contra los enormes postes, consiguiendo que los hicieran retroceder con gritos, antorchas brillantes y ráfagas de cartuchos de fogueo.

Hasta un niño pequeño era útil allí, y Toomai valía por tres. Cogía una antorcha, la agitaba y gritaba junto a los mejores. Pero lo mejor de todo era cuando empezaban a sacar a los elefantes, y la *keddah*, o sea, la empalizada, parecía un cuadro del fin del mundo, y los hombres se tenían que entender por gestos, ya que era imposible oírse. Entonces Toomai el pequeño se subía a uno de los postes temblequeantes de la empalizada, con su pelo marrón, desteñido por el sol, hasta los hombros, que le daba aspecto de duende iluminado por la luz de la antorcha; y en cuanto había un momento de tranquilidad, se oían los gritos agudos con que animaba a Kala Nag, por encima de los bramidos, golpes, chasquidos de cuerdas y gemidos de los elefantes atados.

—¡*Mail, mail, Kala Nag!* (¡Seguid, seguid, Serpiente Negra!) ¡*Dant do!* (¡Dadle con el colmillo!) ¡*Somalo! ¡Somalo!* (¡Cuidado! ¡Cuidado!) ¡*Maro! ¡Mar!* (¡Dadle, dadle!) ¡Cuidado con el poste! ¡Arre! ¡Arre! ¡Hai! ¡Yai! ¡Kya-a-ah! —gritaba, y la gran lucha entre Kala Nag y el elefante salvaje iba oscilando de un extremo a otro de la *keddah*, y los cazadores de elefantes se enjugaban el sudor de los ojos y encontraban un momento para hacer un gesto de aprobación a Toomai el pequeño, que se bamboleaba alegremente encima de los postes.

Pero no solo se bamboleaba. Una noche bajó del poste silenciosamente, se coló entre los elefantes para tirar un cabo suelto, caído en el suelo, a un cazador que estaba intentando sujetarle la pierna a un elefante joven que coceaba (siempre dan más trabajo los que aún no son adultos). Kala Nag lo vio, lo levantó con la trompa y lo entregó a Toomai el mayor, que le dio un tortazo allí mismo y volvió a colocarlo encima del poste.

A la mañana siguiente lo regañó, diciéndole:

—¿No os basta con unos buenos establos de ladrillo y con llevar tiendas de campaña de vez en cuando? ¿Quién os manda poneros a cazar elefantes por vuestra cuenta, so inútil? Ahora esos imbéciles de cazadores, cuyo sueldo es menor que el mío, han hablado del asunto con Petersen *sahib*.

Toomai el pequeño se asustó. No sabía mucho sobre los hombres blancos, pero Petersen *sahib* le parecía el más grande de todos ellos. Estaba al frente de todas las actividades de la *keddah:* era el hombre que cazaba todos los elefantes para el Gobierno de la India y sabía más que nadie sobre sus costumbres.

—¿Qué... qué pasará? —dijo Toomai el pequeño.

—¿Pasar? Lo peor. Petersen *sahib* está loco. ¿Por qué si no iba a dedicarse a cazar estos diablos salvajes? Incluso es posible que os reclame como cazador de elefantes, para haceros dormir en cualquier parte de estas selvas llenas de fiebres, y que os acaben pateando hasta mataros en la *keddah*. Menos mal que todo este disparate se termina ya. La semana que viene se acaba la cacería, y nosotros, los del llano, volvemos a nuestros puestos. Entonces andaremos por carreteras lisas, y podremos olvidarnos de tanta cacería. Pero, hijo, me duele que os mezcléis en un asunto que está reservado a los sucios asameses, la gente de la selva. Kala Nag no obedece a nadie más que a mí, por lo que debo entrar en la *keddah* con él; pero es solo un elefante luchador, no ayuda a atarlos. Yo me quedo sentado tranquilamente, como corresponde a un *mahout* (no a un simple cazador); a un *mahout*, es decir, un hombre que recibe una pensión al final de su servicio. ¿Está bien que a la familia de Toomai el de los elefantes la pisoteen entre el polvo de una *keddah*? ¡Mal hijo! ¡Malvado! ¡Inútil! Id a lavar a Kala Nag, limpiadle las orejas y cuidad de que no tenga espinas en las patas; si no, es seguro que Petersen *sahib* os cogerá y os convertirá en un cazador vulgar..., un seguidor de huellas de elefantes, un oso de la selva. ¡Bah! ¡Qué vergüenza! ¡Marchaos!

Toomai el pequeño se alejó sin decir una palabra, pero le contó a Kala Nag todas sus penas mientras le examinaba las patas.

—No importa —dijo Toomai el pequeño, levantando el borde de la inmensa oreja derecha de Kala Nag—. Le han dicho mi nombre a Petersen *sahib* y tal vez... Tal vez... Tal vez..., ¿quién sabe? ¡Hai! ¡Os he quitado una espina enorme!

Durante los días siguientes hubo que reunir a todos los elefantes, hacer andar a los salvajes recién cogidos entre otros dos domesticados para evitar que entorpecieran la bajada hacia las llanuras; y también hubo que hacer un inventario de las mantas, cuerdas y otros objetos que se habían deteriorado o perdido en la selva.

Petersen *sahib* llegó montado en Pudmini, su astuto elefante hembra. Venía de recorrer los otros campamentos que había en los montes, haciendo los pagos, ya que la temporada se estaba acabando, y debajo de un árbol había un dependiente indígena sentado a una mesa, encargado de pagar a los cazadores sus salarios. Cada hombre, en cuanto había cobrado, volvía a su elefante y se unía a la fila que estaba lista para irse. Los cazadores, rastreadores y domadores, los hombres que estaban empleados en la *keddah* de forma fija, que permanecían en la selva un año sí y otro también, iban montados en los elefantes que formaban parte de las tropas permanentes de Petersen *sahib*, o se apoyaban en un árbol con el fusil recostado encima de los brazos, y se burlaban de los cazadores que se marchaban, riéndose cuando los elefantes recién cazados rompían las filas y echaban a correr.

Toomai el mayor se acercó al dependiente, seguido de Toomai el pequeño, y Machua Appa, el jefe de los rastreadores, dijo en voz baja a un amigo suyo:

—Ahí va uno que sí que tiene madera de cazador de elefantes. Es una pena que a ese gallito de la selva lo manden al llano a mudar la pluma.

Petersen *sahib* tenía un oído finísimo, como corresponde a un hombre que se dedica a escuchar al más silencioso de todos los seres vivos: el elefante salvaje. Se volvió desde donde estaba, tumbado encima del lomo de Pudmini, y dijo:

—¿De qué habláis? No sabía que entre los cornacas del llano hubiera alguno con suficiente seso como para atar ni siquiera a un elefante muerto.

—No es un hombre, es un niño. Se metió en la *keddah* durante la última cacería, y le lanzó la cuerda a Barmao cuando estábamos intentando separar de la madre a aquel elefante de la mancha en el hombro.

Machua Appa señaló a Toomai el pequeño. Petersen *sahib* miró, y el niño hizo una reverencia hasta el suelo.

—¿Éste, lanzar una cuerda? Si es más pequeño que el clavo de una estaca. ¿Cómo os llamáis? —dijo Petersen *sahib*.

Toomai el pequeño estaba demasiado asustado para hablar, pero tenía a Kala Nag detrás y le hizo un gesto con la mano; el elefante lo levantó con la trompa hasta llegar a la altura de la frente de Pudmini, justo enfrente del gran Petersen *sahib*. Entonces Toomai el pequeño se cubrió la cara con las manos, porque no era más que un niño y, exceptuando todo lo relacionado con elefantes, era igual de tímido que cualquier otro chico.

—¡Vaya! —dijo Petersen *sahib*, sonriendo bajo el bigote—. ¿Y por qué le habéis enseñado a vuestro elefante ese truco? ¿Para poder robar maíz verde de los tejados de las casas cuando ponen las mazorcas a secar?

—Maíz verde, no, Protector de los pobres... Melones —dijo Toomai el pequeño, y todos los hombres que los rodeaban soltaron una carcajada. La mayoría había enseñado a sus elefantes a hacer lo mismo cuando eran pequeños. Toomai el pequeño estaba suspendido en el aire a una altura de dos metros y medio, pero le hubiera gustado estar a la misma distancia bajo tierra.

—Es Toomai, mi hijo, *sahib* —dijo Toomai el mayor, con gesto de estar enfadado—. Es un niño muy malo, y acabará en la cárcel, *sahib*.

—Sobre eso tengo mis dudas —dijo Petersen *sahib*—. Un chico que se atreve a meterse en una *keddah* llena, a su edad, no acaba precisamente en la cárcel. Tomad, pequeño, aquí tenéis cuatro *annas* para gastarlas en dulces, porque veo que tenéis una cabecita debajo de esa mata de pelo. Con el tiempo, es posible que os convirtáis en cazador.

Toomai el mayor refunfuñó más que nunca.

—Pero recordad que las *keddahs* no son un buen sitio para que jueguen los niños —siguió Petersen *sahib*.

—¿No debo entrar en ellas jamás, *sahib*? —preguntó Toomai el pequeño, tragando aire.

—Sí. —Petersen *sahib* volvió a sonreír—. Cuando hayáis visto bailar a los elefantes. Ese es el momento oportuno. Venid a verme cuando hayáis visto esa danza, y os dejaré entrar en todas las *keddahs*.

Se oyó otra carcajada general, porque aquélla era una de las bromas típicas que hacían los cazadores entre ellos, y equivale a decir nunca jamás. En los bosques hay grandes claros de tierra batida a los que llaman salones de baile de los elefantes, pero se suele dar con ellos por casualidad, y no hay hombre que haya visto bailar a los elefantes. Cuando un cornaca hace alarde de su habilidad y valor, el resto le dice: «¿Y cuándo visteis bailar a los elefantes?».

Kala Nag dejó a Toomai el pequeño en tierra, y éste hizo otra reverencia hasta el suelo y se marchó con su padre; dio la moneda plateada de cuatro *annas* a su madre, que estaba amamantando a su hermano pequeño y subieron todos al lomo de Kala Nag; y la fila de elefantes bajó gruñendo y barritando por el camino hacia las llanuras. La marcha fue muy animada gracias a los elefantes nuevos, que alborotaban cada vez que se llegaba a un vado, y había que acariciarlos o pegarles continuamente. Toomai el mayor aguijaba a Kala Nag con malicia, porque estaba muy furioso, pero Toomai el pequeño estaba tan contento que no podía ni hablar. Petersen *sahib* se había fijado en él y le había dado dinero, con lo cual se sentía como un soldado raso al que hubieran pedido que saliera de entre las filas para recibir un elogio del general en jefe.

—¿Qué quería decir Petersen *sahib* con lo del baile de los elefantes? —acabó preguntando en voz baja a su madre.

Toomai el mayor le oyó y soltó un gruñido.

—Que nunca debéis convertiros en uno de esos búfalos de montaña, que es lo que son los rastreadores. Eso es lo que quería decir. Eh, los de delante, ¿qué es lo que nos cierra el paso?

Un cornaca asamés que les llevaba dos o tres elefantes de ventaja se volvió malhumoradamente, gritando:

—Traed a Kala Nag para que consiga que este elefante mío se comporte. Ese Petersen *sahib*, ¿por qué me habrá elegido a mí para hacer la bajada con vosotros, burros de los arrozales? Acercad a vuestro animal por un lado, Toomai, y que lo empuje con los colmillos. ¡Por todos los dioses de las montañas! Estos elefantes nuevos están poseídos, o será que olfatean a sus compañeros de la selva.

Kala Nag pegó al elefante nuevo en las costillas, dejándolo sin respiración, mientras Toomai el mayor decía:

—En la última cacería hemos barrido las montañas de elefantes salvajes. Lo que ocurre es que no sabéis guiarlos. ¿Acaso voy a tener que mantener el orden de toda la fila?

—¿Habéis oído? —dijo el otro cornaca—. ¡Hemos barrido las montañas! ¡Ja, ja! Sois muy sabios los de las llanuras. Cualquiera, menos un cabeza de chorlito que no conozca la selva, sabe que ellos se dan cuenta de que se ha terminado la temporada de caza. Por eso, esta noche, todos los elefantes salvajes van a... Pero ¿por que voy a desperdiciar mi sabiduría hablando con una tortuga de río?

—¿Qué van a hacer? —gritó Toomai el pequeño.

—Hola, chico. ¿Estabais ahí? Bueno, pues a vos os lo contaré, porque tenéis la cabeza en su sitio. Van a bailar, y sería mejor que vuestro padre, que ha barrido de todas las montañas todos los elefantes, pusiera cadenas dobles en sus estacas esta noche.

—Pero ¿de qué habláis? —dijo Toomai el mayor—. Mi padre y yo llevamos cuarenta años cuidando elefantes y jamás hemos oído semejantes patrañas sobre bailes.

—Sí, pero un hombre del llano, que vive en su choza, solo conoce las cuatro paredes de esa choza. En fin, dejad a vuestros elefantes sin atar esta noche, y veréis lo que ocurre; en cuanto a su baile, yo he visto dónde... ¡Bapree-Bap! ¿Cuántas vueltas da el río Dihang? Aquí hay otro vado, y hay que hacer nadar a los pequeños. ¡Parad, los de detrás!

Y así, hablando, discutiendo, y chapoteando en el río, llegaron a una especie de campamento en el que recibían a los elefantes nuevos; pero, antes de llegar allí, perdieron la paciencia más de cien veces.

Entonces ataron a los elefantes, sujetándolos por las patas traseras a sus enormes postes hechos de estacas, y a los elefantes nuevos les añadieron un refuerzo de cuerdas; pusieron delante de ellos un montón de forraje; y, a última hora de la tarde, los cornacas del monte salieron para reunirse con Petersen *sahib*, diciendo a los cornacas del llano que tuvieran mucho cuidado aquella noche, y riéndose cuando les preguntaron el motivo.

Toomai el pequeño se encargó de la cena de Kala Nag y al caer la tarde fue a darse un paseo por el campamento, inefablemente contento, buscando un tam-tam. Cuando un niño indio siente que va a estallar de alegría, no suele echar a correr, ni hacer ruido de forma irregular. Se sienta a solas y hace una especie de celebración. ¡A Toomai el pequeño le había hablado Petersen *sahib*! Si no hubiera encontrado lo que quería, creo que, efectivamente, hubiera estallado. Pero el vendedor de dulces del campamento le dejó un tam-tam pequeño (un tambor que se toca con la palma de la mano) y en el momento en que empezaban a salir las estrellas se sentó ante Kala Nag con las piernas cruzadas y el tam-tam sobre las rodillas, y lo aporreó y aporreó; cuanto más pensaba en el gran honor que le habían concedido, más golpes daba, solo allí, rodeado del forraje de los elefantes. No había melodía, ni palabras, pero aquel ruido machacón lo hacía feliz.

Los elefantes nuevos tiraban de sus cuerdas, chillaban y bramaban de vez en cuando, y oyó a su madre acostando a su hermano pequeño en la barraca del campamento, arrullándolo con una canción antiquísima sobre el gran dios Siva, que dijo a todos los animales lo que debían comer. Es una nana muy dulce, y la primera estrofa dice así:

> Siva creó la lluvia e hizo soplar los vientos,
> sentado en el umbral de un día, hace ya tiempo.
> Dio a todos su ración de comida y destino,
> desde el rey en su *guddee* al pobre peregrino.
>
> El lo ha creado todo; Él, Siva el Protector.
> ¡Mahadeo! ¡Mahadeo! ¡Siva fue el creador!
> Cardos para el camello, forraje para el buey,
> y para ti mi pecho, hijo mío, mi rey.

Toomai el pequeño empezó a acompañar el final de cada estrofa con un tantarantán alegre, hasta que le entró sueño y se tumbó encima del forraje, junto a Kala Nag.

Por fin, los elefantes empezaron a echarse, uno tras otro, según su costumbre, hasta que solo quedó en pie Kala Nag a la derecha de la fila, y entonces empezó a balancearse lentamente, con las orejas hacia delante, para escuchar el viento de la noche, que soplaba muy suavemente sobre las colinas. El aire estaba lleno de todos esos ruidos nocturnos que, cuando ocurren a la vez, producen un silencio enorme: el roce de un tallo de bambú contra otro, el correteo de algo vivo entre los matorrales, el aleteo y los graznidos de un pájaro medio despierto (por la noche, los pájaros están despiertos durante mucho más tiempo del que nosotros creemos), y el murmullo del agua que cae a lo lejos, muy lejos. Toomai el pequeño durmió durante algún tiempo, y cuando despertó, la luna brillaba con toda su fuerza y Kala Nag seguía en pie con las orejas hacia delante. Toomai el pequeño se volvió, haciendo crujir el forraje, y vio la curva del enorme lomo, recortada sobre la mitad de las estrellas del cielo; y, mientras la observaba, oyó, tan distante que parecía que aquella quietud la atravesaba solo la punta de un alfiler, el «juut-tuut» de un elefante salvaje, un sonido como el de un cuerno de caza.

Todos los elefantes de las filas dieron un salto, como si les hubieran disparado un tiro, y sus gruñidos acabaron despertando a los *mahouts*, que salieron y clavaron los tacos de las estacas con unos mazos pequeños, ataron mejor esta cuerda y anudaron aquélla, hasta que todo volvió a quedar en silencio. Uno de los elefantes nuevos había estado a punto de arrancar su estaca, por lo que Toomai el mayor le quitó a Kala Nag la cadena que lo sujetaba, y ató al otro elefante, las patas delanteras con las traseras, pero a Kala Nag le puso un lazo hecho de fibras de hierba, diciéndole que recordara que estaba bien atado. Sabía que tanto él como su padre y su abuelo habían hecho eso mismo cientos de veces. Kala Nag no contestó a la orden con un gorgoteo, como hacía siempre. Estaba muy quieto, con la cabeza algo levantada y las orejas tiesas como abanicos, mirando hacia delante, a los grandes pliegues de las colinas de Garo iluminadas por la luna.

—Atendedlo si se pone nervioso durante la noche —dijo Toomai el mayor a Toomai el pequeño, tras lo cual se fue a la barraca a dormir. Toomai el pequeño estaba a punto de dormirse también cuando oyó que la cuerda de estopa se rompía con un chasquido suave; Kala Nag avanzó, y salió de entre las estacas tan lenta y silenciosamente como una nube se desliza fuera de un valle. Toomai el pequeño, descalzo, correteó tras él por el camino, bajo la luz de la luna, diciendo en voz baja:

—¡Kala Nag! ¡Kala Nag! ¡Llevadme con vos, Kala Nag! El elefante se volvió sin hacer ni un ruido, dio tres zancadas hacia el niño, que estaba en un claro de luz, bajo la trompa, se lo subió al cuello, y casi antes de que Toomai el pequeño hubiera colocado bien las piernas, se deslizó bosque adentro.

De entre las filas de elefantes salió una ráfaga de trompeteos furiosos, tras lo cual el silencio lo envolvió todo; y Kala Nag se puso en movimiento. A veces una mata de hierba alta le acariciaba los flancos, igual que hace una ola en los costados de un barco, y otras veces, un racimo de pimienta silvestre le raspaba el lomo, o un bambú crujía donde él lo había tocado con el hombro, pero el resto del tiempo se movía absolutamente en silencio, avanzando suavemente por la selva de Garo, como si ésta fuera humo. Iba cuesta arriba, pero aunque Toomai el pequeño se fijaba en las estrellas que veía por los huecos de los árboles, no sabía en qué dirección.

Entonces Kala Nag llegó a la cima del ascenso y se detuvo durante un momento, con lo cual Toomai el pequeño pudo ver las copas de los árboles, que parecían de terciopelo moteado al estar iluminadas por la luna, rodeándolos durante kilómetros y kilómetros, así como la niebla de color blanco azulado, que flotaba sobre la hondonada del río. Toomai se echó hacia delante para ver mejor y le dio la sensación de que toda aquella selva que había debajo de él estaba despierta... Despierta, viva y llena de seres. Un enorme murciélago marrón de los que comen frutos pasó rozándole la oreja; las púas de un puerco espín castañeteaban entre los matorrales; y en la oscuridad, entre los troncos de árbol, oyó a un jabalí resoplando y escarbando con fuerza en la tierra húmeda y tibia.

En ese momento, las ramas volvieron a cerrarse sobre su cabeza, y Kala Nag empezó a descender hacia el valle, no en silencio como antes, sino como un pistolero fugitivo bajando por una ladera empinada, a toda mecha. Los miembros gigantescos se movían con la constancia de un pistón, dando zancadas de dos metros y medio, y la piel arrugada de las articulaciones crujía. La maleza se abría violentamente hacia los lados, como un lienzo al rasgarse, y los arbolillos que apartaba a diestro y siniestro con los hombros volvían a enderezarse como resortes, golpeándolo en los flancos, y grandes racimos de enredaderas apiñadas se le quedaban colgando de los colmillos mientras agitaba la cabeza hacia los lados, abriéndose camino como si fuera un arado. Toomai el pequeño iba pegado al cuello enorme, para evitar que una de las ramas que les barrían lo tirase al suelo, y pensó que ojalá estuviera en las filas en aquel momento.

La hierba empezó a ponerse húmeda, y las patas de Kala Nag parecían ventosas pegadas al suelo; la neblina que había al fondo del valle envolvió con una capa fría a Toomai el pequeño. Se oyó un chapoteo, un crujido, el ruido de una corriente de agua, y Kala Nag atravesó el lecho de un río, tanteando el camino a cada paso. Por encima del sonido del agua arremolinándose en torno a las patas del elefante, Toomai el pequeño escuchó más chapoteos y algún que otro bramido, río arriba y río abajo; gruñidos fuertes y resoplidos furiosos; además, la neblina que había a su alrededor parecía estar llena de sombras móviles y ondulantes.

—¡Ai! —dijo a media voz, con los dientes castañeteándole—. Esta noche se reúne el pueblo de los elefantes. Era verdad lo del baile, entonces.

Kala Nag salió del agua ruidosamente, sopló aire por la trompa para vaciarla de agua y se dispuso a seguir ascendiendo; pero esta vez no estaba solo y no tenía que abrirse un camino. Ya estaba hecho, con casi dos metros de ancho, frente a él, donde la hierba de la selva, aplastada, hacía esfuerzos por volver a enderezarse. Muchísimos elefantes debían de haber pasado por allí hacía escasos minutos. Toomai miró hacia atrás y vio a su espalda un ejemplar salvaje y colmilludo, con unos ojillos de cerdo que brillaban como ascuas, saliendo del río entre la neblina. Entonces volvieron a cerrarse las ramas de los árboles y siguieron subiendo, en medio de bramidos, crujidos y chasquidos de ramas que se rompían por todas partes.

Al fin, Kala Nag se detuvo entre dos troncos que había en la misma cima de la ladera. Éstos formaban parte de un círculo de árboles que crecían en torno a un espacio irregular de unas ciento cincuenta áreas, y en toda aquella extensión, según le pareció a Toomai el pequeño, la tierra había sido apisonada hasta quedar tan dura como un suelo de ladrillo. Había unos árboles en el centro del claro, pero estaban tan rozados que no tenían corteza, y la madera blanca que quedaba al descubierto se veía brillante y lustrosa en los trechos en que le daba la luz de la luna. De las ramas superiores colgaban enredaderas y las campanillas de sus flores, grandes, blancas y enceradas, semejantes a los convólvulos, caían hacia abajo, profundamente dormidas; pero dentro de los límites del claro no había ni un solo tallo verde..., nada más que tierra apisonada.

La luna le daba un color gris de hierro, menos en los lugares donde había elefantes, cuyas sombras eran negras como la tinta.

Toomai el pequeño lo observaba todo, conteniendo la respiración, con unos ojos que se le salían de las órbitas; mientras miraba, iban saliendo más y más elefantes de entre los árboles, y se bamboleaban hacia el interior del claro. Toomai el pequeño sólo sabía contar hasta diez y contó una y otra vez, con los dedos, hasta que perdió la cuenta de tantos dieces y la cabeza empezó a darle vueltas. Los oía fuera del claro, aplastando la maleza al subir la cuesta; pero una vez dentro del círculo que formaban los troncos de los árboles, se movían como fantasmas.

Había machos salvajes, de colmillos blancos, con hojas secas, nueces y ramas entre las arrugas del cuello y los pliegues de las orejas; hembras gordas y lentas, con crías inquietas de color negro algo rosado, que medían poco más de un metro de altura y correteaban bajo el estómago de las madres; elefantes jóvenes a quienes les estaban empezando a salir los colmillos, de los que se sentían muy orgullosos; solteronas delgaduchas y huesudas, con caras hundidas, apenadas, y trompas que parecían recubiertas de una corteza áspera; elefantes viejos y fieros, antiguos luchadores, marcados desde el hombro hasta el costado con ronchas y cicatrices de las peleas de antaño, el barro seco de sus baños solitarios colgándoles desde el lomo; también había uno con un colmillo roto y señales de haber recibido de lleno en un costado el golpe, el arañazo profundo y terrible, de las garras de un tigre.

Estaban de pie, frente a frente, o paseándose de un lado a otro del terreno, de dos en dos, o meciéndose en solitario... veintenas y veintenas de elefantes.

Toomai sabía que, mientras se estuviera quieto sobre el cuello de Kala Nag, no le ocurriría nada; porque incluso en mitad de la lucha y el ajetreo de una *keddah,* un elefante salvaje no intenta tirar con la trompa a un hombre montado en un elefante domesticado; además, esta noche los elefantes ni siquiera se acordaban de los hombres. Hubo un momento en que dieron un respingo y echaron las orejas hacia delante al oír el tintineo de una cadena en el bosque, pero era Pudmini, el elefante preferido de Petersen *sahib,* que arrastraba un trozo de hierro partido, respirando trabajosamente mientras subía la cuesta. Debía de haber roto sus estacas, para venir directamente desde el campamento de Petersen *sahib;* y Toomai el pequeño vio otro elefante, uno que no conocía, con surcos profundos, marcas de cuerdas, en el lomo y en el pecho. Aquél también debía de haberse escapado de uno de los campamentos de los alrededores.

Finalmente dejaron de oírse ruidos de elefantes que se abrían paso en el bosque, y Kala Nag se deslizó hacia delante, salió de su puesto entre los dos árboles, y avanzó hasta llegar al centro del barullo, cloqueando y carraspeando, tras lo cual todos los elefantes empezaron a hablar en su idioma y a moverse.

Toomai el pequeño, que seguía tumbado, vio veintenas y veintenas de lomos enormes, orejas que se movían como abanicos, trompas que subían y bajaban, ojillos inquietos. Oyó el ruido de colmillos chocando entre sí sin querer, el crujido seco que hacían las trompas al enlazarse unas con otras, el roce de hombros y flancos gigantescos, el chasquido y silbido de las grandes colas. En ese momento pasó una nube por delante de la luna, y todo quedó completamente a oscuras, pero el murmullo apagado y constante, los roces y carraspeos continuaron a pesar de ello. Sabía que Kala Nag estaba totalmente rodeado de elefantes, y que no había ninguna posibilidad de sacarlo de aquella asamblea; por tanto, apretó los dientes y tiritó. En una

keddah al menos había luz de antorchas y gritos, pero aquí estaba solo y a oscuras; además, de repente una trompa le tocó la rodilla.

En ese momento, uno de los elefantes bramó y los demás hicieron lo mismo durante cinco o diez segundos terribles. De los árboles de encima goteaba el rocío, como lluvia, sobre los lomos que ellos mismos no podían verse, y empezó un ruido sordo y retumbante, no muy fuerte al principio, que Toomai el pequeño no pudo localizar; pero creció y creció, y Kala Nag levantó una pata delantera y después la otra, volviendo a ponerlas en el suelo... Uno, dos... Uno, dos... Con la misma regularidad que un martinete de fragua. Los elefantes se habían puesto a patear todos a la vez y sonaba como un tambor de guerra aporreado a la boca de una cueva. El rocío siguió cayendo de los árboles hasta que ya no quedó más; el estruendo machacón seguía, la tierra se agitaba y temblaba; Toomai el pequeño se tapó los oídos con las manos para amortiguar el ruido. Pero era una sacudida gigantesca que le atravesaba el cuerpo entero..., cientos de patas enormes aporreando la tierra desnuda. En un par de ocasiones, vio que Kala Nag y todos los demás se movían hacia delante unos pasos, tras lo cual el sonido retumbante se convertía en el crujido de cosas verdes y jugosas, aplastadas, pero al cabo de un momento, el aporreo de las patas sobre la tierra endurecida volvía a empezar. Había un árbol astillándose, gimiendo, a poca distancia de él. Estiró un brazo y tocó la corteza, pero Kala Nag siguió adelante, pateando; el chico ya no sabía en qué parte del claro estaba. En todo el tiempo, los elefantes no hicieron ninguna otra clase de ruido, menos una vez, cuando dos o tres de los pequeños chillaron al mismo tiempo. Entonces oyó un golpe sordo y el sonido de cuerpos que se rozaban, y el estruendo siguió. Debió de durar dos horas como poco, y a Toomai el pequeño le dolían todos los músculos del cuerpo; pero se dio cuenta, por cómo olía el aire de la noche, de que ya faltaba poco para que amaneciera.

Rompió el día, tendiendo un manto amarillo pálido por detrás de las montañas verduzcas, y el aporreo se detuvo con el primer rayo de luz, como obedeciendo un mandato. Antes de que a Toomai el pequeño le hubieran dejado de zumbar los oídos, incluso antes de que cambiara de posición, ya no había ni un elefante a la vista, excepto Kala Nag, Pudmini y el elefante con las marcas de cuerdas; y en las laderas no había ni un rastro, ni un roce o susurro, que indicara hacia dónde habían ido los demás.

Toomai el pequeño se puso a mirar y remirar. El claro, a juzgar por la idea que se había hecho de él, era mayor que anoche. Tenía más árboles en el centro, pero los matorrales y la hierba de los bordes habían retrocedido. Toomai el pequeño se dedicó a observar aquello detenidamente. Ahora comprendía aquel apisonamiento. Los elefantes, pateando, habían conseguido más sitio; habían convertido la hierba espesa y las cañas jugosas en una pulpa; la pulpa en tiras; las tiras en fibras diminutas; y las fibras en tierra dura.

—¡Uaah! —dijo Toomai el pequeño, a quien le empezaban a pesar mucho los párpados—. Kala Nag, señor, sigamos a Pudmini hasta el campamento de Petersen *sahib*, pues estoy a punto de caerme de vuestro cuello.

El tercer elefante vio alejarse a los otros dos, dio un resoplido, se volvió y siguió su propio camino. Es posible que formara parte del patrimonio de algún rey indígena que viviera a ochenta o noventa kilómetros.

Dos horas más tarde, mientras Petersen *sahib* desayunaba, los elefantes, que habían estado atados con cadenas dobles aquella noche, empezaron a bramar, y en ese momento,

Pudmini, embarrada hasta los hombros, y Kala Nag, al que le dolían mucho las patas por haber andado tanto, entraron renqueando en el campamento.

Toomai el pequeño tenía la cara gris y tensa, el pelo cubierto de hojas y empapado de rocío, pero intentó saludar a Petersen *sahib*, exclamando en una voz apenas audible:

—¡La danza...! ¡La danza de los elefantes! ¡La he visto... y... me muero!

Pero como los niños indios no tienen nervios de los que merezca la pena hablar, a las dos horas estaba repanchigado en la hamaca de Petersen *sahib*, con el abrigo de caza de éste como almohada, tras tomar un vaso de leche, un poco de coñac y una pizca de quinina; y, con los viejos cazadores de la selva, peludos y llenos de cicatrices, sentados frente a él en tres filas, mirándolo como si fuera una aparición, contó su historia en pocas palabras, como hacen los niños, y acabó diciendo:

—Y ahora, si alguien no cree mis palabras, que mande hombres a verlo, y hallarán que el pueblo de los elefantes ha pisoteado allí hasta agrandar el espacio de su salón de baile; y verán diez, y otras diez, y muchas veces diez, rastros de pisadas que llevan hasta ese salón de baile. Lo han ensanchado con las patas. Yo lo he visto. Kala Nag me llevó, y yo lo vi. Además, ¡Kala Nag está agotado de haber usado tanto las patas!

Toomai el pequeño se echó hacia atrás y durmió durante toda la tarde y el anochecer; y mientras dormía, Petersen *sahib* y Machua Appa siguieron el rastro de los dos elefantes, atravesando montes durante veinticuatro kilómetros. Petersen *sahib* llevaba dieciocho años cazando elefantes y solo había visto uno de aquellos salones de baile. A Machua Appa no le hizo falta fijarse mucho en el claro para darse cuenta de lo que había ocurrido allí; ni siquiera escarbó con la punta del pie en aquella tierra compacta y apretada.

—Es verdad lo que ha contado el niño —dijo—. Todo esto se ha hecho anoche y he contado setenta rastros diferentes al cruzar el río. Mirad, *sahib,* ¡ese árbol tiene la marca de la argolla que lleva Pudmini en la pata! Sí; ella también estuvo aquí.

Se miraron el uno al otro, hacia arriba y hacia abajo, pasmados; porque las costumbres de los elefantes son imposibles de descifrar para cualquier hombre, blanco o negro.

—Cuarenta y cinco años llevo —dijo Machua Appa— siguiendo al elefante, mi dueño, pero en la vida había oído decir que un hombre nacido de mujer hubiera visto lo que ha visto este niño. Por todos los dioses de las montañas, esto es... ¿qué queréis que os diga? —Y sacudió la cabeza.

Cuando llegaron al campamento ya era la hora de cenar. Petersen *sahib* comió solo en su tienda, pero dio órdenes de que en el campamento contaran con dos ovejas y algún ave, además de una ración doble de arroz, harina y sal, porque sabía que aquello se acabaría convirtiendo en un festín.

Toomai el mayor había venido a toda velocidad desde el campamento de la llanura, en busca de su hijo y su elefante; y ahora que los había encontrado, los miraba a ambos como si le dieran pavor. Efectivamente, hubo una fiesta en torno a las hogueras chispeantes, frente a las filas de elefantes atados, y Toomai el pequeño era el héroe de todo aquello; los cazadores, rastreadores, cornacas y laceros, todos ellos hombres grandes, de piel marrón, que sabían cuantos secretos existen para domar a los elefantes más salvajes, se lo fueron pasando de uno a otro, y le pintaron la frente con sangre de un gallo salvaje recién muerto, para demostrar que era un montañero, un iniciado, y que tenía libertad de acción en todas las selvas.

Y finalmente, cuando las llamas se fueron apagando y la luz roja de las ascuas hacía parecer que los elefantes también estaban empapados en sangre, Machua Appa, el jefe de los cornacas de todas las *keddahs;* Machua Appa, el álter ego de Petersen *sahib,* que llevaba cuarenta años sin ver un camino hecho por hombres; Machua Appa, que era tan notable que solo se llamaba Machua Appa, se puso en pie de un salto, levantando a Toomai el pequeño por encima de su cabeza, y gritó:

—Escuchadme, hermanos míos. Escuchadme también vosotros, señores míos de las filas, puesto que soy yo, Machua Appa, quien os habla. A partir de ahora, este niño ya no se llamará Toomai el pequeño, sino Toomai el de los elefantes, que es el nombre que llevó su bisabuelo antes de él. Lo que nunca ha visto un hombre lo ha visto él durante toda una noche, y cuenta con el favor del pueblo de los elefantes y de los dioses de las selvas. Se convertirá en un gran rastreador; será más grande que yo, incluso que yo mismo, Machua Appa. Será capaz de seguir el rastro nuevo, el añejo, el mixto, con ojo firme. No se hará daño en la *keddah,* cuando corra bajo las tripas de los elefantes salvajes para atarlos; y si cayera delante de un elefante feroz en plena embestida, el animal sabrá quién es y no lo aplastará. ¡Aihai!, mis dueños encadenados —y giró en redondo, paseándose frente a las hileras de estacas—, aquí tenéis al muchacho que os ha visto bailar en vuestros escondites..., lo que jamás ha visto un hombre. ¡Rendidle homenaje, señores míos! ¡*Salaam karo,* mis niños! ¡Saludad a Toomai el de los elefantes! ¡Gunga Pershad, ajaa! ¡Hira Guj, Birchi Guj, Kuttar Guj, ajaa! Pudmini..., vos lo habéis visto en el baile, y vos también, Kala Nag, perla de los elefantes, ¡ajaa! ¡Todos juntos! A Toomai el de los elefantes. ¡Barrao!

Y al oír el último de aquellos gritos salvajes, toda la fila de elefantes levantó la trompa hasta tocarse la frente con la punta, haciendo el gran saludo, el trompeteo atronador que solo oye el virrey de la India, el *salaam-ut* de la *keddah.*

Pero todo aquello era en honor a Toomai el pequeño, que había visto lo que jamás ha visto un hombre: ¡el baile de los elefantes, de noche, solo, y en el corazón de las colinas de Garo!

Siva y el saltamontes

(Canción que cantaba la madre de Toomai a su hijo pequeño)

Siva creó la lluvia e hizo soplar los vientos,
sentado en el umbral de un día, hace ya tiempo.
Dio a todos su ración de comida y destino,
desde el rey en su *guddee* al pobre peregrino.

Él lo ha creado todo; Él, Siva el Protector.
¡Mahadeo! ¡Mahadeo! ¡Siva fue el creador!
Cardos para el camello, forraje para el buey,
y para ti mi pecho, hijo mío, mi rey.

A los pobres dio mijo, a los ricos dio trigo;
sobras a los santones que son como mendigos.
Dio al milano carroña, al tigre dio ganado
y reservó los huesos para el lobo malvado.
No hizo distinciones, a todos trató igual;
y Parbati a su lado los vio salir y entrar.
Se le ocurrió gastarle una broma al marido,
y dejó al saltamontes en su pecho escondido.

Ella quiso engañar a Siva el Protector.
¡Mahadeo! ¡Mahadeo! ¡Parbati lo engañó!
Muy grande es el camello y muy fuerte es el buey:
éste es solo un insecto, hijo mío, mi rey.

Llegó el fin del reparto, y ella dijo al momento:
«Maestro, ¿no se queda nadie sin alimento?»
Entonces dijo Siva, riendo satisfecho:
«No. Todos han comido, hasta el de vuestro pecho».
Sacó entonces Parbati al insecto del nicho...
¡y vio que una hoja verde se comía aquel bicho!
Enorme fue su asombro y empezó a orar a Siva,
el que a todo viviente dio destino y comida.

Él lo ha creado todo; Él, Siva el Protector.
¡Mahadeo! ¡Mahadeo! ¡Siva fue el creador!
Cardos para el camello, forraje para el buey,
y para ti mi pecho, hijo mío, mi rey.

LOS SERVIDORES DE SU MAJESTAD

Se puede hacer por quebrados
o por la regla de tres;
pero si uno va al derecho,
hay otro que va al revés.

Podéis cambiar el problema,
lo podéis replantear;
aunque uno diga que sí,
el otro dirá: «Ni hablar».

Había estado lloviendo copiosamente durante un mes entero…, lloviendo sobre un campamento de treinta mil hombres, miles de camellos, elefantes, caballos, novillos y mulas, todos reunidos en un lugar llamado Rawalpindi, para que el virrey de la India les pasara revista. En aquel momento tenía una visita, la del emir de Afganistán, un rey salvaje de un país aún más salvaje; y el emir había traído de escolta ochocientos hombres y caballos que no habían visto un campamento ni una locomotora en su vida; hombres salvajes y caballos salvajes, que venían de algún lugar en el corazón de Asia Central. No pasaba una noche sin que un tropel de aquellos caballos rompiera la cuerda que tenían atada al tobillo, marchando en estampida por todo el campamento, metiéndose en el barro con la oscuridad; o sin que se soltaran los camellos y echaran a correr, tropezando con las cuerdas de las tiendas; y os haréis una idea de lo agradable que resultaba aquello para los hombres que intentaban dormir. Mi tienda estaba lejos de las filas de camellos, por lo que creí que sería segura; pero una noche, un hombre metió la cabeza dentro y gritó:

—¡Salid, rápido, que vienen! ¡Han destrozado mi tienda!

Sabía bien a quién se refería; me puse las botas y el impermeable, y eché a correr por el fango. Little Vixen° mi fox-terrier,

---

*   Aunque literalmente significa «pequeña raposa», la traducción correcta sería «fierecilla».

salió por el otro lado; y en ese momento, se oyeron una serie de rugidos, gruñidos y burbujeos, y vi cómo se desplomaba la tienda, tras haberse partido el palo del centro, y empezaba a bailotear como un fantasma alocado. Un camello se había metido en ella sin darse cuenta, y aunque estaba empapado y furioso, me entró la risa. Entonces seguí corriendo, porque no sabía cuántos camellos se habrían soltado, y al poco tiempo perdí de vista el campamento, andando por el barro con dificultad.

Acabé tropezando con la cureña de un cañón, y así me enteré de que estaba cerca de la zona de la artillería, donde almacenaban las armas por la noche. Como estaba chispeando y no me apetecía seguir dando vueltas a oscuras, puse mi impermeable encima de la boca de un cañón, haciendo una especie de tienda de indios con dos o tres baquetas que encontré por allí, y me tumbé junto a la cureña de otro cañón, preguntándome dónde se habría metido Little Vixen y dónde estaría yo mismo.

En el momento en que iba a dormirme, oí el tintineo de unos arreos, seguido de un gruñido, y de repente apareció un mulo, sacudiéndose el agua de las orejas. Formaba parte de una batería de montaña, porque las correas, anillas, cadenas y demás, que llevaba en la albarda, hacían ruido al chocar unas con otras. Los cañones de montaña son diminutos y constan de dos piezas que se enroscan cuando llega el momento de usarlos. Se pueden llevar montaña arriba, por cualquier sitio en que el mulo encuentre un camino, y son muy útiles para luchar en terrenos rocosos.

Detrás del mulo venía un camello, resbalando en el barro con sus enormes patas blandas, bamboleando el cuello hacia los lados, como una gallina perdida. Afortunadamente, yo entendía bastante bien el lenguaje de los animales (no el de los salvajes,

por supuesto, sino el de los animales que viven en campamentos), que había aprendido de los indígenas, y me enteré de lo que decía.

Debía de ser el que se había metido en mi tienda, ya que le dijo al mulo:

—¿Qué hago? ¿Dónde voy? He luchado con una cosa blanca que se movía, y ha cogido un palo y me ha dado en el cuello. —Aquello era el poste roto de mi tienda, y me alegré mucho al oírlo—. ¿Seguimos corriendo?

—Ah, conque eras tú —dijo el mulo—. ¿Erais tú y tus amigos los que habéis revuelto el campamento? Muy bien. Por la mañana, te van a moler a golpes; pero yo me voy a anticipar un poco.

Oí el tintineo de los arreos cuando el mulo retrocedió, dando al camello dos coces en las costillas, que resonaron como un tambor.

—La próxima vez —dijo— te lo pensarás mejor antes de meterte corriendo en una batería de mulos, gritando: «¡Ladrones y fuego!». Siéntate y deja de hacer el tonto con el cuello.

El camello dobló las patas al estilo de los de su raza, como si éstas fueran escuadras, y se sentó lloriqueando. En la oscuridad se oyó el ruido acompasado de unos cascos y un enorme caballo de guerra, a medio galope como si estuviera en un desfile, dio un salto por encima de una cureña y fue a parar junto al mulo.

—Es vergonzoso —dijo, dando un resoplido—. Los camellos esos han vuelto a alborotarnos las filas; ya es la tercera vez en lo que va de semana. ¿Cómo va a estar un caballo en forma si no lo dejan dormir? ¿Quién hay aquí?

—Soy el mulo que lleva la recámara del cañón número dos de la Primera Batería de Montaña —dijo el mulo— y ése es uno de tus amigos. A mí también me ha despertado. ¿Tú quién eres?

—El número quince, Escuadrón E, del Noveno de Lanceros; soy el caballo de Dick Cunliffe. Échate un poco hacia allá..., así.

—Ah... Lo siento —dijo el mulo—. Con esta oscuridad, casi no se ve. Lo de los camellos éstos, no hay quien lo aguante, ¿verdad? Me he salido de las filas para ver si aquí había algo de paz y tranquilidad.

—Señores míos —dijo el camello humildemente—, esta noche hemos tenido una pesadilla y teníamos muchísimo miedo. Yo no soy más que un camello de carga del 39 de la Infantería Indígena, y no soy tan valiente como vosotros, señores míos.

—Pues, por todas las estacas, ¿por qué no te dedicas a llevar los bultos del 39 de la Infantería Indígena, en vez de correr por el campamento entero? —dijo el mulo.

—Es que la pesadilla era horrible —dijo el camello—. Lo siento. ¡Escuchad! ¿Qué es eso? ¿Seguimos corriendo?

—Siéntate —dijo el mulo— o vas a acabar rompiéndote esas patas tan largas con uno de los cañones. —Enderezó una oreja y se puso a escuchar—. ¡Bueyes! —dijo—. Los bueyes que arrastran los cañones. Hay que reconocer que tú y tus amigos habéis hecho una buena labor en esto de despertar a todo el campamento. Hay que insistir mucho para lograr que se levante un buey de carga.

Oí el ruido de una cadena arrastrada y llegó una pareja de los enormes bueyes blancos, siempre malhumorados, que arrastran los pesados cañones de sitio cuando los elefantes se niegan a acercarse más al fuego enemigo; y a punto de pisar la cadena venía otro mulo de batería, llamando a «Billy» a gritos.

—Ese es uno de nuestros reclutas —dijo el mulo mayor al caballo—. Me está buscando. Eh, jovencito, no chilles tanto.

La oscuridad nunca ha hecho daño a nadie, que yo sepa.

Los bueyes se tumbaron, los dos a la vez, y empezaron a rumiar; pero el mulo joven se acercó a Billy precipitadamente.

—¡Bichos! —dijo—. ¡Unos bichos horribles y espantosos, Billy! Se han metido entre nuestras filas mientras dormíamos. ¿Crees que piensan matarnos?

—Te mereces una coz como un castillo —dijo Billy—. Un mulo como tú, de catorce palmos, bien educado, dejando en ridículo a la batería delante de este caballero. ¡Qué vergüenza!

—¡Paciencia, paciencia! —dijo el caballo—. Hay que tener en cuenta que es un principiante. La primera vez que vi un hombre (fue en Australia, cuando tenía tres años), estuve corriendo durante medio día, y si hubiera sido un camello, aún estaría corriendo.

La mayoría de los caballos del ejército inglés llegan a la India desde Australia, y son los propios soldados quienes los doman.

—Es cierto —dijo Billy—. Deja ya de temblar, jovencito. La primera vez que me pusieron el atelaje completo, con todas esas cadenas por la espalda, me apoyé en las patas delanteras y no dejé ni rastro de él, a base de coces. Por aquel entonces, no conocía bien la auténtica ciencia de las coces, pero en la batería dijeron que nunca habían visto nada igual.

—Pero es que esto no era un atelaje; no tintineaba —dijo el mulo joven—. Además, a eso ya me he acostumbrado, Billy. Eran unos bichos con forma de árbol, que subían y bajaban por encima de las filas, burbujeando; y se me había roto el cabestro; como no encontraba al que se encarga de mí y a ti tampoco, Billy, pues me he escapado con... con estos caballeros.

—¡Hmm! —dijo Billy—. Nada más enterarme de que se habían soltado los camellos, he venido aquí, por mi cuenta. Para que un mulo de batería..., de una batería de montaña..., llame caballeros a unos bueyes de carga, se tiene que haber pegado un buen susto. ¿Quiénes sois vosotros, los del suelo?

Los bueyes dejaron de rumiar y contestaron a la vez:

—El séptimo par del primer cañón de la Batería de Artillería Pesada. Estábamos durmiendo cuando han llegado los camellos, pero como nos han pisado, hemos tenido que levantarnos e irnos.

Es mejor estar tranquilo en el barro, que molesto en un buen lecho. Ya le hemos dicho a tu amigo que no había por qué asustarse; pero, como sabe tanto, no hizo caso. ¡Uah!

Siguieron masticando.

—Mira lo que pasa cuando se tiene miedo —dijo Billy—. Se burlan hasta los bueyes de carga. Estarás contento, ¿no, jovencito?

El mulo joven apretó los dientes y le oí decir algo sobre el poco miedo que le daban todos los bueyes rechonchos del mundo; pero éstos no hicieron más que chocar los cuernos y seguir rumiando.

—Nada de enfadarse después de haber tenido miedo. Esa es la peor clase de cobardía que hay —dijo el caballo—. Es normal asustarse de noche, digo yo, si se ven cosas que no se entienden. Nosotros, los cuatrocientos cincuenta que somos, nos hemos desatado muchísimas veces solo porque a un recluta nuevo le dio por contar historias sobre unas serpientes venenosas que hay en Australia, mi país, y acabamos teniendo pánico hasta a los cabos sueltos de nuestros cabestros.

—Todo eso me parece muy bien, mientras se esté en el campamento —dijo Billy—. A mí también me gusta salir desbocado, solo por divertirme, cuando llevo un par de días sin salir; pero ¿qué haces cuando estás en servicio activo?

—Ah; eso es harina de otro costal —dijo el caballo—. Entonces voy con Dick Cunliffe encima, que me va clavando las rodillas; y lo único que tengo que hacer es ir mirando dónde pongo los pies, llevar las patas traseras bien dobladas bajo el cuerpo, y estar atento a la brida.

—¿Qué es estar atento a la brida? —dijo el mulo joven.

—¡Por las encías de los zoquetes de la retaguardia! —bufó el caballo—. No me digas que en tu oficio no hay que estar atento a la brida. ¿Cómo vas a trabajar bien, si no sabes girar en redondo inmediatamente cuando te aprietan la rienda en el cuello? Para tu hombre, es una cuestión de vida o muerte, y para ti también, por supuesto. Date la vuelta, con las patas traseras bajo el cuerpo, nada más notar la rienda en el cuello. Si no tienes sitio para girar, hazlo apoyándote en las patas traseras. Eso es estar atento a la brida.

—A nosotros no nos enseñan así —dijo Billy, el mulo, fríamente—. Debemos obedecer al hombre que llevamos delante: dar un paso hacia fuera o hacia dentro, según nos lo diga. Supongo que debe de ser parecido. Pero con tantas complicaciones, tanto apoyarse en las patas traseras, que debe de ser malísimo para los corvejones, ¿a qué te dedicas realmente?

—Depende —dijo el caballo—. Normalmente tengo que meterme entre una masa de hombres peludos, que gritan y llevan cuchillos (unos cuchillos largos y brillantes, peores que los del herrador), y debo procurar que la bota de Dick roce la del hombre que está a su lado, sin engancharse a ella. Por el rabillo del ojo derecho veo la lanza de Dick, y sé que estoy a salvo. No quisiera estar en el lugar del hombre o caballo que se enfrente con Dick y conmigo cuando vamos con prisa.

—Los cuchillos hacen daño, ¿no? —dijo el mulo joven.

—Pues... una vez me hirieron en el pecho, pero no fue por culpa de Dick...

—Si a mí me hirieran, ¡poco me iba a importar de quién fuera la culpa! —dijo el mulo joven.

218

—Tiene que importarte —dijo el caballo—. Si no te fías de tu hombre, es mejor que te escapes enseguida. Algunos de nuestros caballos lo hacen, y yo lo entiendo. Como iba diciendo, no fue por culpa de Dick. El hombre estaba tumbado en el suelo, yo pasé por encima sin pisarlo, y me dio un tajo. La próxima vez que se me ponga delante un hombre tumbado, pienso pisarlo... y bien fuerte.

—Hmm —dijo Billy—; me parece una locura. Los cuchillos son una cosa muy fea. Lo mejor que hay es trepar un monte, con una silla bien equilibrada, agarrándose bien, usando las cuatro patas y hasta las orejas, deslizarse, retorcerse, hasta llegar a estar cientos de metros por encima del resto, en un saliente donde solo caben los cascos de uno. Entonces hay que estarse quieto y callado (nunca le pidas a un hombre que te coja del cabestro, jovencito); hay que estarse quieto mientras montan los cañones, y después se ve cómo caen las balas, que son parecidas al fruto de la adormidera, sobre las copas de los árboles que están debajo, muy lejos.

—¿Y nunca tropiezas? —dijo el caballo.

—Dicen que el día que un mulo tropiece, se le podrá partir la oreja a una gallina —dijo Billy—. Muy de vez en cuando puede ocurrir que una albarda mal colocada haga perder el equilibrio a un mulo, pero es muy raro. Me gustaría enseñarte nuestro oficio. Es muy bonito. Fíjate, yo tardé tres años en darme cuenta de lo que pretendían los hombres. El quid de la cuestión consiste en que el cuerpo no se recorte contra el horizonte, porque de lo contrario, se corre el peligro de recibir un disparo. Tenlo en cuenta, jovencito. Mantente oculto siempre que puedas, aunque tengas que dar un rodeo de más de un kilómetro. Cuando hay que trepar para esconderse, soy yo quien va al frente de la batería.

—Recibir disparos sin poder echarse encima del enemigo —dijo el caballo, muy pensativo—. Yo no sería capaz de aguantarlo. Me entrarían ganas de atacar, con Dick.

—Ni hablar; se sabe que en cuanto están colocados los cañones, son ellos los únicos que atacan, lo cual es científico y organizado. Lo de los cuchillos..., ¡bah!

El camello llevaba ya un buen rato bamboleando la cabeza, deseando meter baza en la conversación. En ese momento lo oí decir, carraspeando con timidez:

—Yo... yo... yo he luchado un poco, pero de otra manera, sin trepar ni correr.

—Ya. Ahora que lo dices —comentó Billy—, no tienes aspecto de poder trepar ni correr... mucho. Bueno, cuéntanoslo, montaña de paja.

—Fue como debe ser —dijo el camello—. Estábamos todos sentados...

—Por mi piel y mi pretal —dijo el caballo entre dientes—. ¿Sentados?

—Estábamos sentados... cien de nosotros —siguió el camello—, en una plaza muy grande; y los hombres cogieron nuestras sillas y fardos, amontonándolos a los lados de la plaza; y se pusieron a disparar por encima de nosotros, desde todas partes.

—¿Qué hombres eran? ¿Los primeros que aparecieron? —dijo el caballo—. En la escuela de equitación nos enseñan a tumbarnos y dejar que nuestros amos disparen por encima, pero del único que me fiaría yo para eso es de Dick Cunliffe. Me pongo nervioso, me empieza a apretar la cincha, y además, con la cabeza en el suelo, no veo nada.

—¿Qué más da quién sea el que dispare por encima? —dijo el camello—. Uno está rodeado de hombres, camellos y nubes de humo. Yo no paso miedo. Me quedo quieto y espero.

—Y aun así —dijo Billy—, tienes pesadillas y alborotas el campamento por la noche. ¡Vaya, vaya! Yo, antes de sentarme, y no digamos tumbarme, para dejar que un hombre dispare por encima de mí, me encargaría de que mis patas y su cabeza se dijeran un par de cosas. ¿A quién se le ocurre permitir algo así?

Se hizo un gran silencio, y entonces uno de los bueyes levantó la cabezota y dijo:

—Todo esto es completamente absurdo. Para luchar de verdad, solo hay una manera.

—Ya, claro —dijo Billy—. Bueno, mejor me callo. Supongo que vosotros lucháis sosteniéndoos sobre la punta del rabo, ¿no?

—Solo hay una manera —dijeron los dos a la vez (debían de ser gemelos)—. Y es ésta: engancharnos, a los veinte pares que somos, al cañón grande, en cuanto Dos Colas empiece a bramar.

(«Dos Colas» es como llaman al elefante en la jerga de los campamentos.)

—¿Para qué se pone a bramar Dos Colas? —dijo el mulo joven.

—Para dejar claro que no piensa acercarse más al humo del otro lado. Dos Colas es un gran cobarde. Entonces nos ponemos a arrastrar el cañón entre todos... Heya... ¡Hullah! ¡Heeyah! ¡Hullah! Atravesamos la llanura enorme, los veinte pares que somos, hasta que nos desenganchan; y pastamos, mientras sobre la planicie se oyen las voces de los cañones grandes, que hablan con alguna ciudad de paredes de barro que se va cayendo a trozos, y se llena todo de polvo, como si volviera mucho ganado de los pastos.

—¡Ah! Y ese es el momento en que os ponéis a comer, ¿no? —dijo el mulo joven.

—Ése o cualquier otro. Siempre es bueno comer. Pastamos hasta que nos vuelven a enganchar y arrastramos el cañón hacia donde espera Dos Colas. A veces los cañones de la ciudad contestan y muere alguno de nosotros, pero entonces los que quedamos tocamos a más pasto. Es el destino… nada más. Aun así, Dos Colas es un gran cobarde. Ésa es la manera de luchar de verdad. Nosotros dos somos hermanos. Somos de Hapur. Nuestro padre era uno de los toros sagrados de Siva. Ya está todo dicho.

—¡Bueno! La verdad es que estoy aprendiendo mucho esta noche —dijo el caballo—. ¿Y vosotros, los caballeros de la batería de montaña, también estáis dispuestos a comer bajo el fuego de los cañones, cuando tenéis a Dos Colas detrás?

—Comer nos apetece igual de poco que sentarnos y dejar que los hombres se peleen encima, o arremeter contra gente que lleva cuchillos. Menudo disparate. Donde haya un saliente de montaña, una carga bien equilibrada, un guía que lo deje a uno elegir su propio camino... que cuenten conmigo; pero en cuanto a lo demás, ¡ni hablar! —dijo Billy, dando una patada en el suelo.

—Por supuesto —dijo el caballo—, no todos estamos hechos de la misma manera, y me imagino que tu familia, por parte de padre, debía de ser incapaz de entender bastantes cosas.

—Deja en paz a mi familia por parte de padre —dijo Billy furioso; porque todos los mulos aborrecen que se saque a relucir que su padre era un asno—. Mi padre era un caballero del sur, capaz de derribar, morder y cocear hasta hacer pedazos a cualquier caballo que se le cruzara en el camino. ¡Para que te enteres, Brumby gordo y marrón!

Un Brumby es un caballo salvaje, sin crianza. Imaginaos cómo se pondría Sunoj* si un caballo percherón lo llamara jamelgo, y os haréis una idea de cómo le sentó aquello al caballo australiano. Vi cómo le brillaba el blanco de los ojos en la oscuridad.

---

*   Famoso caballo de carreras.

—Mira, hijo de un garañón importado de Málaga —dijo entre dientes—. Te diré que estoy emparentado, por parte de madre, con Carbine, que ganó la Copa de Melbourne; y que en mi tierra no estamos acostumbrados a oír impertinencias de mulos cabezotas y charlatanes, pertenecientes a una batería de cerbatanas y tirabatas. ¡En guardia!

—¡En pie! —chilló Billy.

Los dos se apoyaron en las patas traseras, frente a frente, y yo ya estaba dispuesto a contemplar una pelea enardecida, cuando se oyó una voz carrasposa y profunda que salía de la oscuridad, a la derecha:

—Hijos, ¿qué hacéis ahí, peleándoos? Estaos quietos.

Los dos animales bajaron las patas, resoplando con aversión, porque los caballos y mulos no aguantan oír la voz de un elefante.

—¡Es Dos Colas! —dijo el caballo—. No lo soporto. ¡No hay derecho a que tenga una cola en cada lado!

—Estoy completamente de acuerdo —dijo Billy, apretándose contra el caballo para sentirse más acompañado—. Nos parecemos mucho, en algunas cosas.

—Las habremos heredado de nuestras madres —dijo el caballo—. Es una tontería discutir por ello. ¡Hola! Dos Colas, ¿estás atado?

—Sí —dijo Dos Colas, con una carcajada que sacudió su trompa de arriba abajo—. Voy a estar encadenado toda la noche. Ya he oído lo que decíais. Pero no os preocupéis; no voy a acercarme.

Los bueyes y el camello dijeron a media voz:

—Tener miedo a Dos Colas... ¡Qué tontería!

Y los bueyes siguieron:

—Sentimos que lo hayas oído, pero es cierto. Dos Colas, ¿por qué te dan miedo los cañones cuando disparan?

—Pues... —dijo Dos Colas, restregándose una pata trasera contra la otra, exactamente igual que un niño pequeño recitando una poesía—. No estoy muy seguro de que lo vayáis a entender.

—No lo entendemos, pero tenemos que arrastrar los cañones nosotros —dijeron los bueyes.

—Ya lo sé; y también sé que sois mucho más valientes de lo que creéis. Pero lo mío es distinto. El capitán de mi batería me llamó «anacronismo paquidermatoso» el otro día.

—Eso es otra forma de luchar, ¿no? —dijo Billy, que estaba volviendo a animarse.

—Tú no sabes lo que quiere decir eso, por supuesto; pero yo sí. Significa estar a medias, y ahí es donde estoy yo. Yo veo dentro de mi cabeza lo que pasará cuando estalle una bomba, y vosotros, los bueyes, no.

—Pues yo sí —dijo el caballo—. Por lo menos, en parte. Pero intento no pensar en ello.

—Yo lo veo mejor que tú, y sí que pienso en ello. Sé que tengo un cuerpo muy grande y alguien tiene que cuidar de él; y también sé que nadie sabe curarme cuando estoy enfermo. Lo único que hacen es dejar de pagar a mi cornaca hasta que me cure, y no me fío nada de él.

—¡Ah! —dijo el caballo—. Ahora lo entiendo. Yo sí me fío de Dick.

—Ya puedes ponerme encima a un regimiento entero de Dicks, que no va a servir de nada. Sé lo suficiente para no estar tranquilo y no lo bastante para seguir adelante a pesar de ello.

—No entendemos —dijeron los bueyes.

—Ya sé que no. No estoy hablando con vosotros. No sabéis lo que es la sangre.

—Sí que lo sabemos —dijeron los bueyes—. Es eso rojo que tiñe el suelo y huele.

El caballo dio una patada, un respingo y relinchó.

—No habléis de ello —dijo—. Es como si lo estuviera oliendo ahora mismo, solo de imaginármelo. La sangre me hace querer salir corriendo... cuando no llevo a Dick encima.

—Pero si aquí no hay —dijeron el camello y los bueyes—. ¿Por qué sois tan tontos?

—Es algo asqueroso —dijo Billy—. Yo no quiero salir corriendo, pero no quiero hablar de ello.

—¿Lo veis? —dijo el elefante, moviendo la cola para reafirmarse.

—Pues no. Llevamos toda la noche sin ver nada —dijeron los bueyes.

Dos Colas dio una patada en el suelo, haciendo resonar su argolla de hierro.

—Ya estamos... Os digo que no hablo con vosotros. No podéis ver las cosas dentro de vuestra cabeza.

—No. Vemos con nuestros cuatro ojos —dijeron los bueyes—. Vemos lo que tenemos justo enfrente.

—Si yo pudiera limitarme a hacer eso, no haría ninguna falta que vosotros arrastrarais los cañones. Si fuera como mi capitán (que ve las cosas dentro de su cabeza antes de empezar los disparos y se echa a temblar, pero sabe demasiado para salir corriendo), si fuera como él, podría arrastrar los cañones. Pero si fuera así de sabio, la verdad es que no estaría aquí. Sería un rey de la selva, como era antes, que me pasaba medio día durmiendo y podía bañarme siempre que quería. Llevo un mes sin darme un buen baño.

—Todo eso me parece muy bien —dijo Billy—; pero llamar a las cosas con nombres muy largos no soluciona nada.

—¡Chist! —dijo el caballo—. Creo que entiendo lo que dice Dos Colas.

—Ya verás qué bien lo vas a entender ahora —dijo Dos Colas furioso—. Bueno; explícame por qué no te gusta esto.

Se puso a bramar a plena trompa.

—¡Basta! —dijeron Billy y el caballo a la vez, y oí cómo coceaban y temblaban.

El trompeteo de un elefante siempre es desagradable, sobre todo en una noche oscura.

—No pienso parar —dijo Dos Colas—. ¿Me lo queréis explicar, por favor? ¡Hrrmf! ¡Rrrt! ¡Rrrmf! ¡Rrraah!

De repente se detuvo y, al oír un gemido débil que salía de la oscuridad, supe que Vixen había logrado encontrarme. Ella sabía, tan bien como yo, que si hay algo en el mundo que dé miedo a un elefante, es un perro pequeño que ladre; por eso se dedicó a intimidar a Dos Colas, que seguía allí atado, y empezó a corretear y ladrar entre las patas del elefante. Dos Colas restregó las plantas de los pies contra el suelo y chilló.

—Vete, perrito —dijo—. No me resoples en los tobillos, que te voy a dar una patada. Perrito bueno... Perrito mono... ¡Venga! ¡Vete a casa, fiera gritona! Por favor, que se la lleve alguien. Va a morderme de un momento a otro.

—Por lo que veo —dijo Billy al caballo—, a nuestro amigo Dos Colas le da miedo casi todo. El caso es que si a mí me dieran una buena ración de comida por cada perro que he lanzado de una coz a la otra punta del campo de maniobras, estaría casi igual de gordo que Dos Colas.

Di un silbido y Vixen vino corriendo, rebozada de barro; me dio un lametón en la nariz y me contó una historia larguísima sobre su paseo por todo el campamento buscándome. No pensaba decirle que entendía el lenguaje de los animales, porque se hubiera tomado toda clase de libertades. Por tanto, la guardé dentro del abrigo, me lo abroché y Dos Colas siguió arrastrando los pies y dando patadas.

—¡Increíble! ¡Absolutamente increíble! —dijo—. Es cosa de familia. Pero ¿dónde se ha metido ese bicho asqueroso?

Lo oí buscar por ahí con la trompa.

—Parece que todos tenemos nuestro punto débil —dijo sonándose la nariz—. Porque vosotros, caballeros, os asustasteis, según parece, al oírme trompetear.

—Asustarnos, precisamente, no —dijo el caballo—, pero a mí me dio la sensación de tener lleno de avispones el sitio donde me ponen la silla. No vuelvas a empezar.

—A mí me dan miedo los perros pequeños, y a este camello le asustan las pesadillas que tiene por la noche.

—Es una gran suerte que no tengamos que luchar todos de la misma manera —dijo el caballo.

—Lo que me gustaría saber —dijo el mulo joven, que llevaba mucho tiempo callado—, lo que a mí me gustaría saber... es por qué tenemos que luchar.

—Porque nos lo mandan —dijo el caballo, resoplando desdeñosamente.

—Son las órdenes —dijo Billy, el mulo; y chasqueó los dientes.

—¡*Hukm hai!* (Es una orden) —dijo el camello, haciendo un gorgorito; y Dos Colas y los bueyes lo repitieron: «¡*Hukm hai!*».

—Sí, pero ¿quién da las órdenes? —dijo el mulo-recluta.

—El hombre que va delante de uno... o va sentado encima... o lleva la cuerda que le ponen a uno en el hocico... o le retuerce a uno la cola —dijeron Billy, el caballo, el camello y los bueyes, uno detrás de otro.

—Sí, pero ¿a ellos quién les da las órdenes?

—Eso es querer saber demasiado, jovencito —dijo Billy—; y si sigues así, puedes acabar recibiendo una coz. Lo único que tienes que hacer es obedecer al hombre que lleves delante, y no hacer preguntas.

—Tiene toda la razón —dijo Dos Colas—. Yo no puedo obedecer siempre, porque estoy en una posición intermedia;

pero Billy tiene razón. Obedece al hombre que vaya contigo, que dé las órdenes, o detendrás a toda la batería, además de recibir una paliza.

Los bueyes se levantaron para marcharse.

—Ya llega la mañana —dijeron—. Vamos a volver a nuestras filas. Es cierto que solo vemos por los ojos y que no somos muy listos; pero, aun así, somos los únicos que no hemos tenido miedo esta noche. Adiós, valientes.

Nadie contestó y el caballo, para cambiar de tema, dijo:

—¿Dónde está el perrito ése? Donde haya un perro, hay un hombre cerca.

—Aquí estoy —ladró Vixen—, bajo la cureña del cañón, con mi hombre. Tú, camello, bestia boba y abultada, nos has tirado la tienda. Mi hombre está muy enfadado.

—¡Psa! —dijeron los bueyes—. ¡Seguro que es blanco!

—Por supuesto que sí —dijo Vixen—. ¿Creíais que yo me iba a dejar cuidar por un boyero negro?

—¡Huah! ¡Ouach! ¡Agh! —dijeron los bueyes—. Vámonos enseguida.

Se lanzaron hacia delante, por el barro y, aunque parezca increíble, se empotraron contra la barra de un carro de municiones, donde se les quedó atascado el yugo.

—Ahora sí que la habéis hecho buena —dijo Billy tranquilamente—. No os esforcéis. Vais a estar ahí hasta que se haga de día. ¿Se puede saber qué os pasa?

Los bueyes habían empezado a dar esos resoplidos largos y silbantes tan típicos del ganado indio; empujaron, dieron empellones, se retorcieron, patearon, resbalaron y estuvieron a punto de caerse en el barro, gruñendo ferozmente.

—Os vais a partir el cuello de un momento a otro —dijo el caballo—. ¿Qué tienen de malo los hombres blancos? Yo vivo con ellos.

—Que... comen... ¡bueyes! ¡Tira! —dijo el que estaba más cerca.

El yugo se partió con un chasquido metálico y los bueyes se alejaron, andando pesadamente.

En aquel momento me enteré del motivo por el que el ganado indio tiene tanto miedo a los ingleses. Nosotros comemos carne de buey, mientras que los boyeros ni la tocan; y por supuesto, al ganado no le parece bien.

—¡Que me azoten con las cadenas de mi propio atelaje! ¿Quién iba a pensar que dos moles como ésas iban a perder la cabeza? —dijo Billy.

—Déjalo. Yo voy a acercarme al hombre ése. Sé que la mayoría de los hombres blancos llevan cosas en los bolsillos —dijo el caballo.

—Pues, entonces, te dejo. La verdad es que no les tengo demasiado cariño. Además, los hombres blancos que no tienen dónde dormir, casi seguro que son ladrones, y lo que yo llevo encima, que no es poco, es propiedad del Gobierno. Ven conmigo, jovencito, volvamos a nuestras filas. ¡Buenas noches, Australia! Ya nos veremos mañana, en la revista de tropas. ¡Buenas noches, montaña de paja! Intenta dominar esos nervios, ¿eh? ¡Buenas noches, Dos Colas! Si pasas a nuestro lado mañana, en el campo de maniobras, no trompetees. Nos destrozas la formación.

Billy el mulo se alejó ronqueando, con esa forma de andar algo fanfarrona que tienen los veteranos, mientras el caballo me metía la cabeza por el cuello del abrigo, olisqueando; le di unas galletas y Vixen, que es una perrita muy engreída, le contó mentiras sobre las veintenas de caballos que cuidábamos ella y yo.

—Mañana voy a ir a ver la revista de tropas en mi carrito —le dijo—. ¿Tú dónde vas a estar?

—A la izquierda del segundo escuadrón. Yo marco el paso de mi compañía entera, damita —dijo él muy educadamente—. Ahora debo ir a reunirme con Dick. Tengo la cola llena de barro y le esperan dos horas de trabajo duro, para prepararme para la revista de tropas.

El gran desfile de treinta mil hombres tuvo lugar aquella tarde, y Vixen y yo conseguimos un buen sitio, cerca del virrey y del emir de Afganistán, con su enorme gorro de astracán, alto y negro, que tenía una gran estrella de diamantes en el centro. La primera parte de la revista salió maravillosamente. Los regimientos iban pasando por delante de nosotros, oleada tras oleada de piernas moviéndose a la vez, y de fusiles todos puestos en fila, hasta que se nos empezó a nublar la vista. Entonces salió la caballería, con ese medio galope tan bonito, al compás de «Bonnie Dundee», y Vixen, sentada en su carrito, enderezó una oreja al oírlo. El segundo escuadrón de lanceros pasó a toda velocidad y allí iba el caballo, con la cola como una borla de seda hilada, la cabeza pegada al pecho, una oreja hacia delante y la otra hacia detrás, marcando el paso de todo el escuadrón, moviendo las patas con la suavidad de un vals. Luego aparecieron los cañones y vi a Dos Colas y otros dos elefantes, enganchados en fila a un cañón de sitio de cuarenta libras,° y detrás iban veinte pares de bueyes. El séptimo par llevaba un yugo nuevo, y parecían algo cansados y torpes. En último lugar iban los cañones de montaña y Billy el mulo iba como si estuviera al mando de todas las tropas, y su aparejo estaba tan engrasado y limpio, que relucía. Vitoreé a Billy el mulo, yo solo, pero él no miró a derecha o a izquierda en ningún momento.

* Hasta la invención del cañón de tiro rápido, hacia 1914, las piezas de artillería solían denominarse según el peso del proyectil en libras.

Empezó a llover de nuevo, y durante un rato la neblina nos impidió ver lo que hacían las tropas. Habían formado un gran semicírculo que atravesaba la llanura y se estaban abriendo hasta quedar en fila. Ésta se fue alargando y alargando, hasta medir cerca de un kilómetro de un ala a otra, formando una pared sólida de hombres, caballos y armas. Entonces se dirigieron todos hacia el virrey y el emir; al irse acercando, la tierra empezó a temblar, como la cubierta de un vapor a toda máquina.

De no haberlo visto, uno no puede imaginarse el efecto aterrador que este constante acercamiento de tropas tiene sobre los espectadores, aunque sepan que solo se trata de un desfile. Miré al emir. Hasta aquel momento, no había dado la más mínima muestra de asombro ni nada parecido; pero entonces empezó a abrir los ojos cada vez más, cogió las riendas de su caballo y miró hacia atrás. Hubo un instante en que pareció que iba a sacar la espada y abrirse camino a tajos, pasando entre los ingleses y sus mujeres, que estaban en los carruajes de la parte de atrás. De repente, las tropas se detuvieron, la tierra dejó de temblar, la fila entera saludó y treinta bandas de música empezaron a tocar. Así se acababa el desfile y los regimientos se fueron hacia sus campamentos bajo la lluvia; entonces una banda de infantería entonó:

Los animales entraban de dos en dos, ¡Hurra!
Los animales entraban de dos en dos,
el elefante y el mulo de batería; en el arca entraron todos,
¡para huir de la lluvia!*
Entonces oí a uno de los jefes del Asia Central, ya mayor, que tenía el pelo largo y canoso, haciendo preguntas a un oficial indígena.

---

*   Conocida canción infantil inglesa que trata sobre el arca de Noé.

—Dígame —le rogó—: ¿cómo se ha logrado hacer algo tan maravilloso?

Y el oficial contestó:

—Se ha dado una orden y la han obedecido.

—Pero ¿acaso los animales son tan sabios como los hombres? —dijo el jefe.

—Obedecen igual que los hombres. El mulo, el caballo, el elefante, el buey, obedecen a su guía; y el guía a su sargento; y el sargento a su teniente; y el teniente a su capitán; y el capitán a su mayor; y el mayor a su coronel; y el coronel a su brigadier, que está al mando de tres regimientos; y el brigadier a su general, que obedece al virrey, que está al servicio de la emperatriz. Así es como se ha logrado hacerlo.

—¡Ojalá fuera igual en Afganistán! —dijo el jefe—. Allí cada uno obedece a su propia voluntad.

—Y por esa razón —dijo el oficial indígena, retorciéndose la punta del bigote— vuestro emir, a quien no obedecéis, debe venir aquí a recibir órdenes de nuestro virrey.

Canción de desfile de los animales del campamento

Los elefantes que arrastran los cañones

> A Alejandro le dimos de Hércules la fuerza,
> nuestras grandes rodillas, nuestra sabia cabeza.
> La libertad perdimos, solo el trabajo queda.
> ¡Paso, paso! ¡Abrid paso! ¡Dejad paso a quien lleva
> los cañones de sitio del cuarenta!

Los bueyes

> Estos héroes esquivan las balas de cañón.
> Saben mucho de pólvora, de ahí su reacción.
> Pero en ese momento nos meten en vereda...
> ¡Paso, paso! ¡Abrid paso! ¡Dejad paso a quien lleva
> los cañones de sitio del cuarenta!

Los caballos

> Por la cruz de mi frente, las mejores canciones
> las tocan los lanceros, húsares y dragones.
> Pero mucho más dulce que «El agua» o «Los establos»
> resulta «Bonnie Dundee», la marcha del caballo.

Echadnos de comer, domadnos y pulidnos;
dadnos buenos jinetes y suficiente sitio,
¡y veréis cuando estemos en escuadrón formados,
al oír «Bonnie Dundee», lo que hacen los caballos!

Los mulos de las baterías de montaña

Mis compañeros y yo subíamos monte arriba,
la senda llena de piedras, pero yo continuaba.
Porque podemos trepar y llegar a cualquier sitio,
¡pues nos gustan las alturas, y hasta rompernos las patas!

¡Suerte al sargento que deja elegir nuestro camino!
¡Mal haya los conductores que empaquetan mal la carga!
¡Porque reptar y subir, trepar por doquier podremos,
pues nos gustan las alturas, y hasta rompernos las patas!

Los camellos

No tenemos canción propia
que nos ayude a avanzar.
Pero el cuello es un trombón
(¡un trombón, ra-ta-ta-ta!)
Y nuestra canción es ésta:
¡No, no, no! ¡Ni hablar! ¡Ni hablar!
Que toda la larga fila lo repita sin parar.
Una carga se ha caído
¡Qué suerte tiene! (¡Ojalá
hubiera sido la mía!)
Paremos para gritar: ¡Urr! ¡Yarr! ¡Grr! ¡Arr!
Una carga se ha caído,
¡mas la han recogido ya!

Todos los animales juntos

Todos somos los hijos del campamento
y todos ayudamos en su momento.
Hijos somos del yugo y de la albarda,
del arnés, la aguijada y de la carga.

Ved las filas: cruzando van el llano
igual que una maniota retorcida.
Dando vueltas desde lejanas tierras,
nos llevan a la guerra nuestros guías.
Mientras tanto, los hombres que nos
llevan polvorientos y sin hablar caminan,
pues no saben por qué, nosotros y ellos,
sufrimos esta marcha cada día.

Todos somos los hijos del campamento
y todos ayudamos en su momento.
Hijos somos del yugo y de la albarda,
del arnés, la aguijada y de la carga.